美洲華語課本　第五冊

（Traditional Characters）

人文　　科學　　歷史　　社會　　文學

日常會話　　　常用字詞　　　基本句型

目　錄

美洲華語課本 第五冊
編 輯 大 綱

序言

　　「美洲華語」是由美洲華語編輯團隊為美洲地區 1 年級至 12 年級學生編輯出版發行的華文教科書。「美洲華語課本」共 12 冊，適合每週上課 2-4 小時的中文學校學生使用。「美洲華語課本」將與美國高中中文進階課程（Chinese Advance Placement Program, 簡稱 AP）和美國大學的中文教學相銜接。

　　「美洲華語課本」每冊自成一套。第一冊至第三冊，每套包括：課本、作業（活頁式一本或裝訂式 AB 兩本）、生字詞字卡、CD 錄音片 共四種教材。第四冊以上另外提供 DVD 光碟，學生使用 DVD （繁體、簡體），不但能練習聽說讀寫，並且能學習打字和翻譯。

　　「美洲華語」課本的正（繁）體字版，課本內容併用注音符號及漢語拼音。簡體字版只用漢語拼音。

美洲華語第五冊編輯要旨

　　「美洲華語課本」，是以美國外語教學標準（Standards for foreign language learning，5C）、美國外語評鑑規範（National Assessment Educational Progress Framework）為準則，融合多元智慧 （Multiple Intelligence)編寫而成。

　　美國外語教學標準（5 C）為：1.培養溝通能力(communication) 2.體認中國文化與習俗(cultures) 3.貫連其他學科(connections) 4.比較中西文化特性(comparisons) 5.運用於實際生活(communities)。五大指標中的「溝通」又包括三個溝通模式（3 Mode）：雙向溝通（Interpersonal），理解詮釋（Interpretive），表達演示(Presentational)。因此，「美洲華語課本」各冊內容的選材，是以該年級學齡學生的各科知識層面、生活經驗和對等程度的中國文化為範疇。各冊課本、作業及輔助教材的設計，則特別注重學生在聽力理解、口語表達、閱讀理解、書寫和翻譯能力等方面的學習，以達到融入三種溝通模式，涵蓋多元智慧並符合"5 C"外語教學標準。

美洲華語第五冊編輯內容

　　「美洲華語」第五冊內容的編寫是以美洲地區小學五年級學生各項學科的知識水平與生活經驗為範疇。包括兒童文學、生活倫理、人文關懷、自然科學、歷史社會等中國和美國本土素材，使用符合五年級程度的文字編寫成饒富趣味性和知識性的故事、短文、新詩和對話，使學生沈浸於豐富的語言運用和有樂趣的學習情境中學習中文。「美洲華語」第五冊共有十課。每課為一單元，分成三大部份：課文、語文練習及說故事。

一、課文：

　　1. 有人文內容、貼近生活、詼諧有趣、富知識性是本書課文的特色。

1

1. 本冊逐步取消注音符號和漢語拼音，以加強學生認字和讀字的能力。
2. 老師可以依據課文後面提供的問題，讓學生深入探討課文主題。

二、語文練習：包括四部分

1. 生字詞語讀一讀：本冊共有 160 個生字和與生字關連的 281 個常用詞語。為加強學生對字義的瞭解和對字形的記憶，本冊生字的部首以紅色顯示。
2. 句子練習：本冊列出課文中符合五年級學生程度、重要而且常用的句型，讓學生反覆做造句練習。以問答或對話的方式讓學生從情境中做句子練習。
3. 常用表格：提供與本冊內容相關並且日常生活常用和常見的表格，包括便條、菜單、報名表、學生資料表和課表等，讓學生的學習更貼近生活。
4. 會話練習：生活對話，是課文內容的延伸。

三、說故事：

　　本冊故事著重於課文的延伸與深入探討，故事題材涵蓋了人文、歷史、科學、社會、文學、寓言、成語故事、民俗節日和日常生活等。每課故事有 11 幅精彩連環圖畫，旁白文字包括本課的生字。學生也可以透過 DVD 光碟反覆聽課本故事，同時也有翻譯讓需要的學生，可以隨時查閱。

美洲華語課本教學方法

　　美洲華語教學方法重點有三：語音教學、字詞教學、情境教學。

一、語音教學

　　中國語言（以下稱漢語）是聲調型語言，語音的準確是學習漢語的基本要求。漢語的特徵是一字發一音，每一音有四個不同的聲調，每個音調又可能是幾個不同意思的字。如果發音不正確或停頓不恰當，就會產生誤解；如果不注意輕聲、兒化韻、音調和節律，就說不出準確的漢語，克服不了洋腔洋調。因此，本書的課文、會話和故事均以淺藍色線條，根據詞組和語意，標出每句話語中的停頓（音步）。本書極著重語音教學，標音不但著重在字的原音，同時也注重說話的語音。生字詞語的漢語拼音標注原音，若需變調如兩個三聲連讀，則在漢語拼音後面加上數字表示讀音，如此一來讓學生讀音更加準確。作法如下：

1. 詞語中若有兩個三聲連讀，第一個字變調為二聲。例如「很好」漢語拼音標音為「hěn2 hǎo」，數字 2 表示讀音為二聲。
2. 課本上的字，同時標有注音符號和漢語拼音。注音符號的標音是依照台灣標準辭典，漢語拼音的標法則依照美國教科書/中國大陸辭典為準。例如，「知識」，注音符號「ㄓ ㄕˋ」；漢語拼音標「zhī shi」。採用何種讀法，由老師自定。
3. 字詞標有兒化韻。漢語拼音加 **r**，注音符號把「兒」的字形縮小、如「好玩兒」.
4. 用「漢語節律符號」為課文、故事和會話的句子標注音步和節律。本冊使用的

2

「漢語節律符號」如下：

　　　<u>x</u>　文字下面下劃淺藍色線條表示音步（音步和音步間稍停頓）。

二、字詞教學

　　中國文字（以下稱漢字）是圖畫文字。每個「字」是形、意、音結合的語言符號。本書引導學生對漢字的學習，著重以下幾點：

1. 生字的學習，需認識字的部首和筆順。每課語文練習把部首塗紅，讓學生從部首瞭解該字的本義，加深字形及字義的瞭解及記憶。作業本則有生字筆順的圖解，方便學生習寫時模仿。

2. 用句子練習來學習句子的用法。本冊列出課文中符合五年級學生程度、重要而且常用的句型，以問答的方式讓學生從情境中做句子練習。

3. 字、詞的學習，採用螺旋式。生字的學習由易而難、由淺而深。前面所學過的生字，會不斷的在後面的單元中一再重複出現，幫助學生達到溫故知新的效果。

三、情境教學

　　學習語言最自然最有效的方法，就是在情境中學習。本書為學生設計了兩種情境學習的方式：

1. 連環圖畫故事：故事的內容，以生動活潑的連環圖片呈現出來。每幅旁白書寫的文字，包括 85% 已學過的字詞和本課生字以及後面數課的部分生字詞。連環圖畫故事不但幫助學生在情境中明白該課生字、生詞的含意和運用，更複習了以前學過的字詞。老師可借用有趣動人的圖畫和故事，吸引學生進入故事情境，引導學生一遍又一遍地讀故事、說故事，使學生在故事的情節和對白中，學習如何適當地使用語言。

　　此外，課後再加上 DVD 光碟中發音的功能，學生更能在家反覆聽取練習，學生說故事的能力，會大大提升。

2. 句子練習/會話：學習語言的首要目的是溝通（communication）。與人溝通的能力是揉合了聽說讀寫的能力，所以句子練習的主要目的是讓學生知道在何時何地使用合適的語句，不是讓學生學會單一的句子而不知如何運用。因此，本冊的句子練習以對話及問答方式為主。

美洲華語課本編輯組

2007 年 4 月 26 日 于美國加州橙縣

> 「美洲華語」的編輯進度為一年兩冊。美洲華語第六冊包括課本、作業本，將於 2007 年 9 月以前出版。

「美洲華語」訂購網站：全美中文學校聯合總會 **http://ncacls.org**
MeiZhou Chinese www.mzchinese.org

3

課程設計提要

　　一般而言，在美國的中文學校，同年級學生的中文程度常常不盡相同甚至有相當的差距。如果全班教學進度統一，學生學習進步神速並且學得愉快，是每位老師的夢想也是課程設計的目標。美洲華語課本內容取材豐富，使課程設計富有彈性並且容易調整。本冊一共十課，每課10頁，每課自成一單元並有18頁的作業和DVD光碟中的打字練習以及從光碟列印出的字卡，如此一來更能夠靈活地配合課堂上的學習。以下為課程設計的建議，請老師做為參考：

第一週

一、念課文：

　　　　老師解說完課文大意並且與學生進行討論，運用「問題與討論」幫助學生更深一層瞭解課文涵意，之後再依照節律符號帶領學生朗讀，以抑揚頓挫的語調讀出課文的情趣。同時，也可利用DVD光碟中發音功能來做輔助。

> 非生字的新詞，在同頁註有英譯以幫助學生瞭解課文的內容。
> 淺藍色線條標示課文的音步（停頓），幫助學生語調正確。
> 學生可參看附錄中的課文英文翻譯。

二、說故事：

1. 老師說故事時著重課文主題的延伸與連貫，本課課文的生字詞幾乎都被用在故事裡。老師在說故事的時候，請多重覆這些生字詞，以加深學生對生字詞的印象。此外，老師也可以利用DVD光碟中故事發音功能，再讓學生全部聽一遍。

2. 然後再出示連環圖畫的掛圖，順著圖片再說一遍故事，同時也著重於「問題與討論」中所提供的問題進行討論，藉此檢視學生對故事的了解程度和使用口語回答的能力。

3. 故事有11幅圖，每幅圖大約有40多字。85％是重覆已經學過的字。老師帶領學生逐字逐句念一遍，或讓學生跟著DVD光碟故事發音念一次，遇到本課生字詞時須強調用法。

> 故事以連環圖畫的方式呈現，幫助學生瞭解故事內容。
> 若學生聽力程度有限，可利用DVD光碟中翻譯和發音功能來做輔助。
> 學生可參看附錄中的故事英文翻譯。
> 淺藍色線條標示旁白的停頓和輕讀，幫助學生說故事語調正確。

三、教生字、詞語、句子練習/會話：

　　　　學生已念過課文和聽過故事，對生字、詞語已不陌生。每課有**16**個生字，分兩週學習。老師依部首、筆順、部件介紹第一週的生字，然後再教詞語、句子練習和會話。學生先透過情境念熟例句，再依例句造出類似的句子。此外，DVD光碟還有許多不同內容的練習，老師可在課堂上講解，也可讓學生在家練習。

> 每個生字帶有1到2個常用詞。若學生程度不夠，只學第一個生詞即可。
> 用對話的方式，讓學生互相做句子和會話練習。
> 學生可參看附錄中的生詞英文翻譯。

四、說明本週作業

　　每週作業有六頁，星期一到星期四，每天一頁。星期五有兩頁，一頁是語文，另一頁

4

另一頁是故事內容的選擇題。老師可利用下課前 10 分鐘，為學生略作解說本週作業內容。由於電腦在學習上的普遍運用，中文打字也是學習中文必要的課程之一，在書寫的作業外，DVD 光碟也針對學生要學會打字的目標，根據課文、語文練習、故事內容做了不同形式的打字練習，讓學生在學會本課內容的同時，經由此練習學會漢語的打字。老師可針對班上同學的需要，來運用 DVD 光碟的作業，或是學生可自行在家練習。

五、上一課的複習測驗。

第二週：

一、念課文：

老師帶領學生熟讀課文或再做討論，須特別留意課文理解以及發音和語調的正確。可參考運用 DVD 光碟發音的功能。

二、說故事：

老師重述故事之後，讓全班學生在台下分組練習說故事，每組兩人互相輪流說故事。老師和輪值家長幫忙矯正各組發音和語調。十分鐘後，每組輪流上台說故事。讓學生練習看著掛圖說出故事的內容。

若學生人數太多，一些小組可排在下週上台，須讓每一個學生都有機會上台練習。學生經過日積月累的訓練，開口說漢語就不再是難事了。

> 若學生說話能力不夠好，鼓勵他用簡單的一兩個句子看圖說故事即可。
> 老師可在課堂上強調 DVD 光碟中發音的功能，讓學生在家反覆聽說練習。

三‧教生字、詞語、句子練習/會話：

老師幫助學生複習上週學過的八個生字詞。然後，依部首、筆順、部件介紹本週的生字和句型用法。

四、說明本週作業，可循第一週的模式。

第三週

一、複習前兩週所學的故事、課文、生字和生詞。用生詞練習口語造句。

> 本冊DVD光碟中可列印出字卡，老師可利用玩字卡遊戲練習生字詞和對話。
> 用對話的方式，讓學生互相做句子和會話練習。

二、說明本週作業：

第三週的作業，星期一到星期四，每天一頁是本週故事的填充，讓學生有機會練習使用本課和以前學過的字詞。星期五有兩頁語文作業。DVD 光碟作業中有一項是 teacher's assignment，老師可針對學生程度來指派打字的作業內容。

> ＊ 美洲華語取材豐富有趣，每課的故事、課文、生字詞、句子和會話環環相扣，大幅提升了學生聽說讀寫的學習成果。
> ＊ 學習語言的訣竅，就是持續不斷的練習。每週固定有 6 頁練習，每日一頁。內容多樣有趣。老師可依學生程度而刪增。加上 DVD 光碟教材的輔助，相信學生學習成效一定可以大幅提昇。

課文 學哪些語言
xué nǎ xiē yǔ yán

吃晚飯的時候，青青說 Maria 很不開心，
chī wǎn fàn de shí hou　qīng qing shuō　hěn bù kāi xīn

因為她的父母親要她在家說西班牙語。
yīn wèi tā de fù mǔ qīn yào tā zài jiā shuō xī bān yá yǔ

Maria 覺得只要會說英文就夠了。
jué de zhǐ yào huì shuō yīng wén jiù gòu le

爸爸說：「Maria 錯了。
bà ba shuō　　　　cuò le

英文、中文和西班牙文
yīng wén　zhōng wén hé xī bān yá wén

是世界上的三大語文。
shì shì jiè shang de sān dà yǔ wén

學會這三種語文，
xué huì zhè sān zhǒng yǔ wén

不論將來在哪一方面發展，都很容易。
bú lùn jiāng lái zài nǎ yì fāng miàn fā zhǎn　dōu hěn róng yì

Maria 不珍惜這個機會，很可惜呀！」
bù zhēn xī zhè ge jī huì　hěn2 kě xī ya

青青知道學中文很重要，所以她在家
qīng qing zhī dao xué zhōng wén hěn zhòng yào　suǒ2 yǐ tā zài jiā

都說中文。並且，她還常常看中文電影和
dōu shuō zhōng wén　bìng qiě　tā hái cháng cháng kàn zhōng wén diàn yǐng hé

註 ： 為了幫助學生發音正確，凡是兩個三聲連續的詞語，在第一個三聲的漢語拼音後加註數字2，
　　 表示這個字需要變調，應念成二聲，如：所以「suǒ2 yǐ」。

晚飯: dinner	開心: happy	因為: because	父親: father
母親: mother	西班牙: Spain	西班牙話: Spanish	覺得: to feel
夠了: enough	錯了: wrong, mistaken	語文: language	不論: no matter
將來: in the future	發展: develop, expand	容易: easy	珍惜: to cherish
機會: opportunity	可惜: what a pity	重要: important	並且: and, also

兒童節目。 她非常注意發音， 所以她的

中文說得很好。

每個星期六， 青青都上中文學校。

有些孩子覺得假日上學很吃虧， 可是

青青不這樣想。 她覺得和好朋友一起

學中文， 是一件非常開心的事。 青青

真聰明！

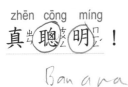

問題討論：

1. 你覺得Maria為什麼不愛說西班牙語？

2. 世界上的三大語文是哪三種？

3. 你覺得學中文有哪些好處？

電影：movie   兒童：children   節目：program

非常：very, extraordinary   注意：to pay attention   發音：pronunciation

所以：therefore   星期六：Saturday   聰明：smart, clever

吃虧：to suffer a loss, not worthy of the effort

親見　父親見　母親見

生字、詞語：

父ㄈㄨˋ：父ㄈㄨˋ親ㄑㄧㄣ、父ㄈㄨˋ母ㄇㄨˇ

母ㄇㄨˇ：母ㄇㄨˇ親ㄑㄧㄣ、母ㄇㄨˇ愛ㄞˋ

親ㄑㄧㄣ：親ㄑㄧㄣ愛ㄞˋ的ㄉㄜ

班ㄅㄢ：西ㄒㄧ班ㄅㄢ牙ㄧㄚˊ、上ㄕㄤˋ班ㄅㄢ

夠ㄍㄡˋ：夠ㄍㄡˋ了ㄌㄜ、足ㄗㄨˊ夠ㄍㄡˋ

語ㄩˇ：語ㄩˇ文ㄨㄣˊ、成ㄔㄥˊ語ㄩˇ

論ㄌㄨㄣˋ：不ㄅㄨˊ論ㄌㄨㄣˋ

將ㄐㄧㄤ：將ㄐㄧㄤ來ㄌㄞˊ、將ㄐㄧㄤ軍ㄐㄩㄣ

句子練習：

夠ㄍㄡˋ　enough

1. ：這ㄓㄜˋ些ㄒㄧㄝ菜ㄘㄞˋ夠ㄍㄡˋ吃ㄔ嗎ㄇㄚ？　再ㄗㄞˋ來ㄌㄞˊ一ㄧ盤ㄆㄢˊ青ㄑㄧㄥ菜ㄘㄞˋ吧ㄅㄚ？

　：夠ㄍㄡˋ了ㄌㄜ，　謝ㄒㄧㄝˋ謝ㄒㄧㄝˋ妳ㄋㄧˇ。

2. ：明ㄇㄧㄥˊ明ㄇㄧㄥˊ，　給ㄍㄟˇ妳ㄋㄧˇ五ㄨˇ塊ㄎㄨㄞˋ錢ㄑㄧㄢˊ買ㄇㄞˇ午ㄨˇ餐ㄘㄢ夠ㄍㄡˋ不ㄅㄨˋ夠ㄍㄡˋ？

　：夠ㄍㄡˋ了ㄌㄜ，　三ㄙㄢ塊ㄎㄨㄞˋ錢ㄑㄧㄢˊ就ㄐㄧㄡˋ夠ㄍㄡˋ了ㄌㄜ。

親ㄑㄧㄣ愛ㄞˋ的ㄉㄜ　dear

親愛的爸爸：

　　媽媽帶我去打球，我們六點半回來。

　　　　　　　　青青上　下午三點

8

jiāng lái
將來　in the future

我將來想當語言學家。 你呢？
wǒ jiāng lái xiǎng dāng yǔ yán xué jiā nǐ ne

我將來想當天文學家。
wǒ jiāng lái xiǎng dāng tiān wén xué jiā

bú lùn
不論　no matter (what, who, how, etc.); regardless

1. 妳喜歡看卡通片嗎？
nǐ xǐ huan kàn kǎ tōng piàn ma

我喜歡。不論什麼卡通片我都喜歡看。
wǒ xǐ huan bú lùn shén me kǎ tōng piàn wǒ dōu xǐ huan kàn

2. 明天會下雨，你還去看球賽嗎？
míng tiān huì xià yǔ nǐ hái qù kàn qiú sài ma

不論天氣怎麼樣，我都會去。
bú lùn tiān qì zěn me yàng wǒ dōu huì qù

yǔ
語　language

1. 「語文」和「語言」有什麼不同？
yǔ wén hé yǔ yán yǒu shén me bù tóng

「語文」是指「語言」和「文字」。
yǔ wén shì zhǐ yǔ yán hé wén zì

世界上有許多種語言是沒有文字的。
shì jiè shàng yǒu xǔ duō zhǒng yǔ yán shì méi yǒu wén zì de

2. 「自言自語」是什麼意思？
zì yán zì yǔ shì shén me yì si

這是一句成語。就是自己跟自己說話。
zhè shì yí jù chéng yǔ jiù shì zì jǐ gēn zì jǐ shuō huà

9

生字、詞語：

展ㄓㄢˇ：發ㄈㄚ展ㄓㄢˇ

容ㄖㄨㄥˊ：容ㄖㄨㄥˊ許ㄒㄩˇ、笑ㄒㄧㄠˋ容ㄖㄨㄥˊ

易ㄧˋ：容ㄖㄨㄥˊ易ㄧˋ

惜ㄒㄧ：珍ㄓㄣ惜ㄒㄧ、可ㄎㄜˇ惜ㄒㄧ

並ㄅㄧㄥˋ：並ㄅㄧㄥˋ且ㄑㄧㄝˇ

影ㄧㄥˇ：電ㄉㄧㄢˋ影ㄧㄥˇ、影ㄧㄥˇ子ㄗˇ

童ㄊㄨㄥˊ：兒ㄦˊ童ㄊㄨㄥˊ

注ㄓㄨˋ：注ㄓㄨˋ意ㄧˋ、注ㄓㄨˋ音ㄧㄣ

句子練習：

發ㄈㄚ展ㄓㄢˇ　to expand; to grow

：為ㄨㄟˋ什ㄕㄣˊ麼ㄇㄜ校ㄒㄧㄠˋ長ㄓㄤˇ說ㄕㄨㄛ我ㄨㄛˇ們ㄇㄣ學ㄒㄩㄝˊ校ㄒㄧㄠˋ發ㄈㄚ展ㄓㄢˇ得ㄉㄜ很ㄏㄣˇ快ㄎㄨㄞˋ？

：因ㄧㄣ為ㄨㄟˋ我ㄨㄛˇ們ㄇㄣ學ㄒㄩㄝˊ校ㄒㄧㄠˋ變ㄅㄧㄢˋ大ㄉㄚˋ了ㄌㄜ，人ㄖㄣˊ數ㄕㄨˋ變ㄅㄧㄢˋ多ㄉㄨㄛ了ㄌㄜ。

容ㄖㄨㄥˊ易ㄧˋ　easy

：從ㄊㄨㄥˊ今ㄐㄧㄣ天ㄊㄧㄢ起ㄑㄧˇ，我ㄨㄛˇ們ㄇㄣ每ㄇㄟˇ天ㄊㄧㄢ背ㄅㄟˋ五ㄨˇ個ㄍㄜ生ㄕㄥ字ㄗˋ。

：這ㄓㄜˋ件ㄐㄧㄢˋ事ㄕˋ說ㄕㄨㄛ起ㄑㄧˇ來ㄌㄞ容ㄖㄨㄥˊ易ㄧˋ，做ㄗㄨㄛˋ起ㄑㄧˇ來ㄌㄞ就ㄐㄧㄡˋ不ㄅㄨˋ容ㄖㄨㄥˊ易ㄧˋ

了ㄌㄜ。

10

kě xī

可惜　regrettable; pity

zhè ge diàn yǐng zhēn hǎo kàn　kě xī míng ming bù néng lai
：這個電影真好看，可惜明明不能來。

shì ya　qīng qing yě bù néng lai　zhēn kě xī
：是呀！青青也不能來，真可惜！

bìng qiě

並且　moreover; and; also

zhè běn shū hěn2 yǒu qù　bìng qiě hěn róng yì dú
：這本書很有趣，並且很容易讀。

zhè běn shū xiě de hěn2 hǎo　bìng qiě huà de hěn shēng dòng
：這本書寫得很好，並且畫得很生動。

zhù yì

注意　to pay attention to

kāi chē de shí hou yào zhù yì ān quán
：開車的時候要注意安全。

zǒu lù de shí hou yě yào zhù yì ān quán
：走路的時候也要注意安全。

sān yán liǎng2 yǔ

三言兩語　in a few words

tā zhǐ yòng jǐ jù huà　jiù bǎ zhè jiàn shì shuō míng bai le
：他只用幾句話，就把這件事說明白了。

duì　tā sān yán liǎng2 yǔ jiù bǎ zhè jiàn shì shuō míng bai le
：對，他三言兩語就把這件事說明白了。

11

第 一 課　　　說故事：我想「請」「問」妳

星期六下午，青青全家一起去看了一場電影。電影的名字叫：「我的父親母親」。

散場以後，青青好奇地問：「媽媽！您怎麼認識爸爸的？」

媽媽笑著說：「我們是在大學裡認識的。我們第一次見面，就鬧了一個笑話！」

青青問：「什麼笑話呀？」

4.

爸爸說：「開學那天，我找不到上中文課的教室，看見妳媽媽走過來，我就用中文說：『我想請問妳⋯』」

5.

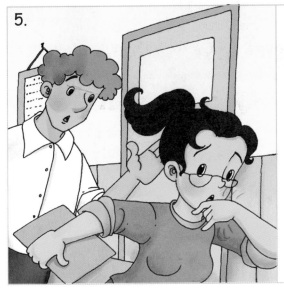

我的話還沒說完，妳媽媽就滿面通紅，並且一轉身就跑了。當時，我覺得這個女生真奇怪！⋯

6.

後來，我才發現，我把『請問』說成『親吻』了。妳媽媽以為我說『我想親吻妳』，所以她嚇跑了。」

7.

青青說：「真可惜，我沒看見！」說完就笑了起來，並且笑個不停！爸爸說：「夠了！夠了！別笑了！路上的人都在看妳了！」

8.

爸爸接著說：「過了兩個星期，我又遇見妳媽媽，我連忙向她說對不起，她才明白那天是個誤會。」

9.

媽媽說：「青青，妳可要注意發音喔！不論哪種語言，小孩子學發音都比大人來得容易。」

10.

青(ㄑㄧㄥ)青(ㄑㄧㄥ)說(ㄕㄨㄛ)：「我(ㄨㄛˇ)一(ㄧˊ)定(ㄉㄧㄥ)會(ㄏㄨㄟ)注(ㄓㄨˋ)意(ㄧˋ)
發(ㄈㄚ)音(ㄧㄣ)的(ㄉㄜ)。還(ㄏㄞˊ)有(ㄧㄡˇ)啊(ㄚ)，我(ㄨㄛˇ)喜(ㄒㄧˇ)歡(ㄏㄨㄢ)
看(ㄎㄢ)西(ㄒㄧ)班(ㄅㄢ)牙(ㄧㄚˊ)語(ㄩˇ)的(ㄉㄜ)兒(ㄦˊ)童(ㄊㄨㄥˊ)節(ㄐㄧㄝˊ)目(ㄇㄨˋ)，
我(ㄨㄛˇ)覺(ㄐㄩㄝˊ)得(ㄉㄜ)西(ㄒㄧ)班(ㄅㄢ)牙(ㄧㄚˊ)語(ㄩˇ)不(ㄅㄨˊ)難(ㄋㄢˊ)，
我(ㄨㄛˇ)很(ㄏㄣˇ)想(ㄒㄧㄤˇ)學(ㄒㄩㄝˊ)。　　」

11.

爸(ㄅㄚˋ)爸(ㄅㄚ)說(ㄕㄨㄛ)：「太(ㄊㄞˋ)好(ㄏㄠˇ)了(ㄌㄜ)！
如(ㄖㄨˊ)果(ㄍㄨㄛˇ)妳(ㄋㄧˇ)能(ㄋㄥˊ)夠(ㄍㄡˋ)學(ㄒㄩㄝˊ)會(ㄏㄨㄟˋ)中(ㄓㄨㄥ)文(ㄨㄣˊ)、
英(ㄧㄥ)文(ㄨㄣˊ)和(ㄏㄜˊ)西(ㄒㄧ)班(ㄅㄢ)牙(ㄧㄚˊ)文(ㄨㄣˊ)這(ㄓㄜˋ)三(ㄙㄢ)種(ㄓㄨㄥˇ)
語(ㄩˇ)文(ㄨㄣˊ)，將(ㄐㄧㄤ)來(ㄌㄞˊ)一(ㄧˊ)定(ㄉㄧㄥ)會(ㄏㄨㄟˋ)很(ㄏㄣˇ)有(ㄧㄡˇ)
發(ㄈㄚ)展(ㄓㄢˇ)。　　」

問題與討論：

1. 青青的父母是在什麼地方認識的？

2. 青青的媽媽為什麼不回答爸爸問她的話？

3. 過了多久，爸爸向媽媽說對不起？

4. 學會哪三種語言，將來一定很有發展？

5. 你鬧過什麼笑話？

課文　井底之蛙

有一天，友友的爺爺在電話上和朋友談天。友友聽見爺爺說：「…，整天在家沒事做，如果再不看報紙和電視，就快成『井底之蛙』了。…」爺爺打完電話，

友友問：「爺爺，什麼是井底之蛙？」

爺爺說：「我說個故事給你聽：從前，

有一隻青蛙住在井底，牠以為井口是天，

井底是地，因此，

天地之間的事

牠全知道，

牠非常自滿。

井底之蛙: The frog in the well -- someone who is satisfied with very limited knowledge or experience

爺爺: grandpa	電話: telephone	談天: to chat	整天: all day
如果: if	報紙: newspaper	電視: TV	故事: story
從前: long time ago	青蛙: frog	井底: the bottom of the well	

有一天，有人來打(dǎ)水，把牠打上來了。

牠跳(tiào)出來一看，才知道天地這麼大！」

友友問：「您是說，一個人知道的不多，

可是他很自滿(mǎn)，就叫『井(jǐng)底(dǐ)之(zhī)蛙』，對(duì)嗎？」

爺(yé)爺(ye)說：「對(duì)極(jí)了！其(qí)實(shí)，任(rèn)何(hé)人只要

肯(kěn)多用(yòng)功學習(xí)，天天

看新(xīn)聞(wén)，就(jiù)不會

成(chéng)為(wéi)井底(dǐ)之(zhī)蛙。」

問題討論：

1.青蛙住在井底，為什麼很自滿？

2.井底之蛙是什麼意思？

3.你是井底之蛙嗎？為什麼？

以為： to assume	事情： matter	因此： therefore	之間： in between
天地之間： between heaven & earth; the whole world		自滿： complacent, self-satisfied	
其實： in fact	任何： any	肯： willing	用功： to study hard
學習： to learn	成為： become		

生字、詞語：

談：談天 、談話
視：電視 、近視眼
整：整天 、整理
底：井底 、底下
報：報紙 、報告
之：井底之蛙
紙：白紙
故：故事 、故意

句子練習：

整 entire; whole

妳怎麼不看書，整天玩兒？

誰說的？我已經把整本書都看完了。

整理 to put in order

你每天花多少分鐘整理房間？

我每天只花十五分鐘整理房間。

gù yì 故意 — on purpose; deliberately

1. 他故意把水倒了一地。

哪裡，他是不小心，不是故意的。

2. 弟弟每次喝完牛奶都不擦嘴。

他是故意的。他喜歡留著白鬍子。

bào zhǐ 報紙 — newspaper

你每天看報紙嗎？

看，我每天都看卡通圖畫和地方新聞。

bào gào 報告 — report

你的讀書報告寫好了嗎？

報告寫好了，再整理一下就行了。

bào gào 報告 — to report

小華拉肚子了，要報告老師嗎？

當然要報告老師！我們快去吧！

19

語 文 練 習　| 第二週

生字、詞語：

cǐ　　　yīn cǐ 此ㄘˇ：因ㄧㄣ 此ㄘˇ	hé　　　rú hé 何ㄏㄜˊ：如ㄖㄨˊ 何ㄏㄜˊ
yé　　yé ye 爺ㄧㄝˊ：爺ㄧㄝˊ 爺ㄧㄝ˙	kěn　　bù kěn　　kěn dìng 肯ㄎㄣˇ：不ㄅㄨˋ 肯ㄎㄣˇ、肯ㄎㄣˇ 定ㄉㄧㄥˋ
shí　　qí shí 實ㄕˊ：其ㄑㄧˊ 實ㄕˊ	gōng　　yòng gōng　　gōng kè 功ㄍㄨㄥ：用ㄩㄥˋ 功ㄍㄨㄥ 、功ㄍㄨㄥ 課ㄎㄜˋ
rèn　　rèn hé 任ㄖㄣˋ：任ㄖㄣˋ 何ㄏㄜˊ	xí　　xué xí 習ㄒㄧˊ：學ㄒㄩㄝˊ 習ㄒㄧˊ

句子練習：

yīn cǐ
因ㄧㄣ 此ㄘˇ　because of this; consequently

wáng xiǎo míng gǎn mào le　　yīn cǐ jīn tiān bù néng shàng xué
1. 王ㄨㄤˊ小ㄒㄧㄠˇ明ㄇㄧㄥˊ感ㄍㄢˇ冒ㄇㄠˋ了ㄌㄜ˙，因ㄧㄣ 此ㄘˇ 今ㄐㄧㄣ天ㄊㄧㄢ不ㄅㄨˋ能ㄋㄥˊ上ㄕㄤˋ學ㄒㄩㄝˊ。

zhōng zhong zuó tiān shuì wǎn le　　yīn cǐ jīn tiān zǎo shang qǐ bu lai
2. 中ㄓㄨㄥ中ㄓㄨㄥ˙昨ㄗㄨㄛˊ天ㄊㄧㄢ睡ㄕㄨㄟˋ晚ㄨㄢˇ了ㄌㄜ˙，因ㄧㄣ 此ㄘˇ今ㄐㄧㄣ天ㄊㄧㄢ早ㄗㄠˇ上ㄕㄤˋ起ㄑㄧˇ不ㄅㄨ˙來ㄌㄞˊ。

wáng xiǎo2 měi hěn2 yǒu lǐ mào　　yīn cǐ dà jiā dōu hěn2 xǐ huan tā
3. 王ㄨㄤˊ小ㄒㄧㄠˇ美ㄇㄟˇ很ㄏㄣˇ有ㄧㄡˇ禮ㄌㄧˇ貌ㄇㄠˋ，因ㄧㄣ 此ㄘˇ大ㄉㄚˋ家ㄐㄧㄚ都ㄉㄡ很ㄏㄣˇ喜ㄒㄧˇ歡ㄏㄨㄢ她ㄊㄚ。

rèn hé
任ㄖㄣˋ何ㄏㄜˊ　any; whatever; whichever

xiàn zài kāi shǐ kǎo shì　　rèn hé rén dōu bù néng shuō huà
：現ㄒㄧㄢˋ在ㄗㄞˋ開ㄎㄞ始ㄕˇ考ㄎㄠˇ試ㄕˋ。任ㄖㄣˋ何ㄏㄜˊ人ㄖㄣˊ都ㄉㄡ不ㄅㄨˋ能ㄋㄥˊ說ㄕㄨㄛ話ㄏㄨㄚˋ，

rú guǒ yǒu rèn hé wèn tí kě2 yǐ jǔ2 shǒu fā wèn
如ㄖㄨˊ果ㄍㄨㄛˇ有ㄧㄡˇ任ㄖㄣˋ何ㄏㄜˊ問ㄨㄣˋ題ㄊㄧˊ可ㄎㄜˇ以ㄧˇ舉ㄐㄩˇ手ㄕㄡˇ發ㄈㄚ問ㄨㄣˋ。

20

qí shí
其實　actually

蛋糕很好吃，再來一塊吧！

其實我已經吃飽了，不過我可以

再來一塊。

kěn
肯　to be willing to

他不肯把這箱書抱上樓。

他不是不肯，他是抱不動。

kěn dìng
肯定　surely; definitely

1. 現在已經十二點整了，爺爺會來嗎？

他可能晚到，不過他肯定會來。

2. 功課太多了，我肯定做不完。

你只要抓緊時間，肯定做得完。

21

第二課　說故事：「故」事「今」說

1.
上課時，友友和大家
分享井底之蛙的故事。
中中問：「青蛙跳出來
以後呢？」友友說：
「嗯，不知道。」

2.
老師笑著說：「我們用
這個成語故事來玩接龍
吧！一人說一段。誰先
開始？」
青青說：「我來試試！」

3.
青青說：「青蛙跳出來
以後，牠看見世界
這麼大，高興極了！
剛好有一隻神鳥落下來
喝水。」

4.

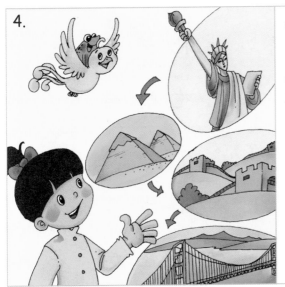

明明說：「牠就坐在神鳥的背上飛上天。牠看到了自由神像、金字塔、長城、金門大橋⋯⋯長了許多見識。」

5.

王大中說：「後來，牠跳進一家飯館，剛一進門，就聽見有人說要吃紅燒田雞，牠嚇得趕快逃回井底。」

6.

李雲說：「有一天，牠跳到公園，看見池塘邊有許多小鳥和青蛙，牠高興極了！就決定住下來。」

7.

明世說：「牠整天跟著大家吃吃喝喝，開心極了。不久，牠身上長滿了水痘兒，醫生說牠得了怪病。」

8.

中中說：「牠只好回到井底。病好了以後，牠變成了一隻近視眼的癩蛤蟆。因此，牠不肯出來見任何人。」

9.

新民說：「牠每天坐井觀天，日子過得很無聊。有一天，小鳥飛來找牠談天，並且帶給牠一份報紙⋯」

10.

青青說：「牠忽然想通了：其實當癩蛤蟆不要緊，但是不能當一個不上進的癩蛤蟆。為了多學習，牠又出來了。」

11.

大家一邊聽，一邊笑。下課鈴響了，老師說：「你們說得真好，誰來把它寫下來？」

大家說：「老師！」

問題：

1. 接龍怎麼玩？你玩過嗎？

2. 青蛙怎麼會變成癩蛤蟆了？

3. 癩蛤蟆為什麼先不肯出來見任何人，後來又想通了？

4. 最後是由誰把故事寫下來的？

5. 「坐井觀天」這句成語是什麼意思？

課文　萬_{ㄨㄢ}聖_{ㄕㄥ}節_{ㄐㄧㄝ}
（wàn shèng jié）

媽媽：萬聖節（wàn shèng jié）快到了，校園內（xiào yuán nèi）會有遊行（yóu xíng）嗎？

明明：有。啊（a）！對了，我們可以穿萬聖節服裝（chuān wàn shèng jié fú zhuāng）
上課（kè）！

媽媽：你要打扮（dǎ bàn）成誰（shéi）呢？

明明：還沒有想（hái méi xiǎng2）好。Paul 說，他的面具（miàn jù）很（hěn2）
可怕（pà），他想嚇嚇（xiǎng xià xia）我們。

媽媽：你們不會被嚇（bèi xià）到吧？

明明：當然（dāng rán）不會！我們年年（nián）過萬聖節（guò wàn shèng jié），什麼
巫婆啊（wū pó a），鬼怪呀（guǐ guài ya）！都（dōu）見過（guò），早就（zǎo jiù）
見怪（jiàn guài）不怪（guài）了。

媽媽：那就好！

明明：媽，為什麼 Halloween 叫萬聖節（wàn shèng）呢？

因為他

萬聖節：Halloween　　校園：school yard　　　內：inside
遊行：parade　　　　服裝：costume　　　上課：to attend class
打扮：to dress up　　面具：mask　　　　可怕：scary
嚇：to scare　　　　被嚇到：to be scared　　當然：of course

媽　媽　：　Halloween 就 是 All hallows eve 。　　所 以 第 二 天

就 是 All hallows Day 　，為 了 紀念 聖 人，

應 該 多 做 些 好 事 。

明　明　：　原 來 如 此 ！ 那 我 來 扮 天 使 吧 ！ 在 萬

聖 節 那 天 ， 出 去 為 貧 病 的 兒 童 募 款 。

媽　媽　：　那 服 裝 呢 ？

明　明　：　很 容 易 ， 我 可 以 用 面 紙 、

白 布 和 床 單 做 。

媽　媽　：　好 主 意 ！

問題討論：

1.萬聖節的時候，校園內有什麼活動？

2.明明為什麼會「見怪不怪」？

3.明明為什麼要扮天使？

巫婆：　witches　　　　　鬼怪：　monsters and goblins
見怪不怪：　　will not be surprised after seeing all kinds of weird things
為了：　in order to　　　　紀念：　to commemorate　　　聖人：　saints　　　應該：　should
原來如此：　　So this is the reason all along　　　　　　　　天使：　angels
貧病：　the poor and sick　　　　募款：　to raise fund　　　面紙：　tissue paper
布：　fabrics　　　　　　　　床單：　bed sheets　　　　主意：　idea

27

生字、詞語：

萬（ㄨㄢˋ）：萬聖節（ㄨㄢˋ ㄕㄥˋ ㄐㄧㄝˊ）、萬一（ㄨㄢˋ ㄧ）	服（ㄈㄨˊ）：衣服（ㄧ ㄈㄨˊ）、服裝（ㄈㄨˊ ㄓㄨㄤ）
聖（ㄕㄥˋ）：聖人（ㄕㄥˋ ㄖㄣˊ）、聖誕節（ㄕㄥˋ ㄉㄢˋ ㄐㄧㄝˊ）	裝（ㄓㄨㄤ）：裝上（ㄓㄨㄤ ㄕㄤˋ）、假裝（ㄐㄧㄚˇ ㄓㄨㄤ）
園（ㄩㄢˊ）：校園（ㄒㄧㄠˋ ㄩㄢˊ）、動物園（ㄉㄨㄥˋ ㄨˋ ㄩㄢˊ）	課（ㄎㄜˋ）：上課（ㄕㄤˋ ㄎㄜˋ）、課本（ㄎㄜˋ ㄅㄣˇ）
內（ㄋㄟˋ）：校園內（ㄒㄧㄠ ㄩㄢˊ ㄋㄟˋ）、內容（ㄋㄟˋ ㄖㄨㄥˊ）	扮（ㄅㄢˋ）：扮成（ㄅㄢˋ ㄔㄥˊ）、打扮（ㄉㄚˇ ㄅㄢˋ）

句子練習：

萬（ㄨㄢˋ） ten thousand

1	0	0	,	0	0	0
十萬	萬	千	百	十	個	

數字念法（ㄕㄨˋ ㄗˋ ㄋㄧㄢˋ ㄈㄚˇ）：123,456.78 ➝ 十二萬（ㄨㄢˋ）三千四百五十六點七八

錢的念法（ㄑㄧㄢˊ ㄉㄜ ㄋㄧㄢˋ ㄈㄚˇ）：$123,456.78 ➝ 十二萬（ㄨㄢˋ）三千四百五十六元七毛八分

萬一（ㄨㄢˋ ㄧ）　in case

🎉：明天要遊行，萬一下雨怎麼辦？（ㄇㄧㄥˊ ㄊㄧㄢ ㄧㄠˋ ㄧㄡˊ ㄒㄧㄥˊ，ㄨㄢˋ ㄧ ㄒㄧㄚˋ ㄩˇ ㄗㄣˇ ㄇㄜ ㄅㄢˋ）

🐑：萬一下雨，那就只好取消了。（ㄨㄢˋ ㄧ ㄒㄧㄚˋ ㄩˇ，ㄋㄚˋ ㄐㄧㄡˋ ㄓˇ ㄏㄠˇ ㄑㄩˇ ㄒㄧㄠ ㄌㄜ）

內容（ㄋㄟˋ ㄖㄨㄥˊ）　content; be rich in content

🐑：這本書內容很好，寫得也很生動。（ㄓㄜˋ ㄅㄣˇ ㄕㄨ ㄋㄟˋ ㄖㄨㄥˊ ㄏㄣˇ ㄏㄠˇ，ㄒㄧㄝˇ ㄉㄜ ㄧㄝˇ ㄏㄣˇ ㄕㄥ ㄉㄨㄥˋ）

🐑：我也覺得這本書很有內容。（ㄨㄛˇ ㄧㄝˇ ㄐㄩㄝˊ ㄉㄜ ㄓㄜˋ ㄅㄣˇ ㄕㄨ ㄏㄣˇ ㄧㄡˇ ㄋㄟˋ ㄖㄨㄥˊ）

zhī nèi

之內　within

：二十分鐘之內，你能把功課寫完嗎？
（èr shí fēn zhōng zhī nèi, nǐ néng bǎ gōng kè xiě wán ma）

：能。我在十五分鐘之內就能寫完。
（néng. wǒ zài shí wǔ fēn zhōng zhī nèi jiù néng xiě wán）

zhuāng

裝　install

：你的玩具車裝好了嗎？
（nǐ de wán jù chē zhuāng hǎo le ma）

：我只要再把輪子裝上就完成了。
（wǒ zhǐ yào zài bǎ lún zi zhuāng shàng jiù wán chéng le）

fú zhuāng

服裝　costume

：明天我們可以穿萬聖節服裝來學校嗎？
（míng tiān wǒ men kě yǐ chuān wàn shèng jié fú zhuāng lái xué xiào ma）

：老師說，穿任何服裝都可以。
（lǎo shī shuō, chuān rèn hé fú zhuāng dōu kě yǐ）

kè

課　course; class

：你們班一星期有幾節音樂課？
（nǐ men bān yì xīng qī yǒu jǐ jié yīn yuè kè）

：有兩節音樂課，每節四十五分鐘。
（yǒu liǎng jié yīn yuè kè, měi jié sì shí wǔ fēn zhōng）

29

語　文　練　習 ｜ 第二週

生字、詞語：

嚇ㄒㄧㄚ：嚇ㄒㄧㄚ 一ㄧ 跳ㄊㄧㄠ	該ㄍㄞ：應ㄥㄥ 該ㄍㄞ
被ㄅㄟ：被ㄅㄟ 嚇ㄒㄧㄚ 到ㄉㄠ	布ㄅㄨ：白ㄅㄞ 布ㄅㄨ 、 布ㄅㄨ 鞋ㄒㄧㄝ
紀ㄐㄧ：紀ㄐㄧ 念ㄋㄧㄢ 、 年ㄋㄧㄢ 紀ㄐㄧ	單ㄉㄢ：床ㄔㄨㄤ 單ㄉㄢ 、 單ㄉㄢ 數ㄕㄨ
應ㄥ：應ㄥ 當ㄉㄤ 、 答ㄉㄚ 應ㄥ	主ㄓㄨ：主ㄓㄨ 意ㄧ 、 主ㄓㄨ 要ㄧㄠ

句子練習：

被ㄅㄟ　to be

1. 你ㄋㄧ嚇ㄒㄧㄚ了ㄌㄜ我ㄨㄛ一ㄧ跳ㄊㄧㄠ。　➡我ㄨㄛ被ㄅㄟ你ㄋㄧ嚇ㄒㄧㄚ了ㄌㄜ一ㄧ跳ㄊㄧㄠ。

2. 小ㄒㄧㄠ明ㄇㄧㄥ把ㄅㄚ蛋ㄉㄢ糕ㄍㄠ吃ㄔ光ㄍㄨㄤ了ㄌㄜ。➡蛋ㄉㄢ糕ㄍㄠ被ㄅㄟ小ㄒㄧㄠ明ㄇㄧㄥ吃ㄔ光ㄍㄨㄤ了ㄌㄜ。

應ㄥ該ㄍㄞ　should; ought to

1. ：他ㄊㄚ應ㄥ該ㄍㄞ兩ㄌㄧㄤ點ㄉㄧㄢ鐘ㄓㄨㄥ到ㄉㄠ，怎ㄗㄣ麼ㄇㄜ還ㄏㄞ沒ㄇㄟ來ㄌㄞ呢ㄋㄜ？

　：我ㄨㄛ想ㄒㄧㄤ他ㄊㄚ應ㄥ該ㄍㄞ快ㄎㄨㄞ來ㄌㄞ了ㄌㄜ。

2. ：我ㄨㄛ們ㄇㄣ應ㄥ該ㄍㄞ孝ㄒㄧㄠ順ㄕㄨㄣ父ㄈㄨ母ㄇㄨ。

3. ：我ㄨㄛ們ㄇㄣ應ㄥ該ㄍㄞ愛ㄞ惜ㄒㄧ東ㄉㄨㄥ西ㄒㄧ。

dā yìng
答應　promise

問：你為什麼這麼高興？
（nǐ wèi shén me zhè me gāo xìng）

答：因為爸爸答應帶我們去動物園。
（yīn wèi bà ba dā yìng dài wǒ men qù dòng wù yuán）

zhǔ yì
主意　idea

我們明天在公園開同樂會，怎麼樣？
（wǒ men míng tiān zài gōng yuán kāi tóng lè huì， zěn me yàng）

好主意！
（hǎo2 zhǔ yì）

zhǔ yào
主要　main; major

1. 紐約市是美國東部主要的大城市。
（niǔ yuē shì shì měi guó dōng bù zhǔ yào de dà chéng shì）

2. 黃河和長江是中國主要的河流。
（huáng hé hé cháng jiāng shì zhōng guó zhǔ yào de hé liú）

3. 這本書的主要內容是什麼？
（zhè běn shū de zhǔ yào nèi róng shì shén me）

這本書主要是寫中秋節的由來。
（zhè běn shū zhǔ yào shì xiě zhōng qiū jié de yóu lái）

dān
單　one, single; odd

dān shù
單數：　1, 3, 5, 7, 9, 11, 13, 15, ...

dān xíng dào
單行道：　ONE WAY ►

31

版權所有　翻印必究

第 三 課　　　說故事：這是我自己做的

1.

萬聖節快到了。中中說：
「媽媽，今年我要扮
孫悟空，服裝和道具
我都想好了，不用花
什麼錢。」

2.

中中把雨靴、黃色的
棉毛衣和紅色的棉毛褲
都找出來了。他向媽媽
借了一條圍巾。這樣
主要的服裝都有了。

3.

媽媽找到一塊橘色的布，
中中把黑色的圓點貼在
布上，這樣，豹皮裙子
也有了。

4.

然後，他拿出紙張做道具，不一會兒道具也完成了。萬聖節那天，中中穿上自己做的服裝去學校上課。

5.

老師打扮成一隻卡通貓。她說：「喵！喵！有誰要上來說說萬聖節？」

Paul 戴了一個兇惡的面具上台了。

6.

他說：「我是好人。」

大家聽了哈哈大笑。

Paul 又說：「古時候，每年的 10 月 31 日，是歐洲除夕，…

33

人們相信晚上鬼會出來。
rén men xiāng xìn wǎn shang guǐ huì chū lai

人們為了要把鬼嚇跑，
rén men wèi le yào bǎ guǐ xià pǎo

就戴著兇惡的面具，
jiù dài zhe xiōng è de miàn jù

拿著火把在路上
ná zhe huǒ bǎ zài lù shang

走來走去。…
zǒu lái zǒu qù

他們餓了，就會向
tā men è le jiù huì xiàng

路邊的人家要東西吃。
lù biān de rén jiā yào dōng xi chī

『不給糖，就搗蛋』
bù gěi táng jiù dǎo dàn

應該就是這樣來的吧？」
yīng gāi jiù shì zhè yàng lái de ba

老師說：「Trick or Treat 的
lǎo shī shuō de

由來，還有許多種傳說。
yóu lái hái yǒu xǔ duō zhǒng chuán shuō

Paul 說得很好。」
shuō de hěn hǎo

老師又說：「有誰要上來
lǎo shī yòu shuō yǒu shéi yào shàng lai

介紹自己的服裝？」
jiè shào zì jǐ de fú zhuāng

34

10.

中中拿著金箍棒上台了。他說孫悟空會七十二變，他只要拔下一根毛，吹一口氣，就能變出許多孫悟空。

11.

同學們覺得太有趣了。他們說明年也想要扮孫悟空。中中想，如果校園內，到處都是孫悟空，一定很好玩兒。

問題與討論：

1. 中中打扮成誰？他的服裝要很多錢嗎？

2. 豹皮裙子是怎麼做的？

3. 為什麼 Paul 說萬聖節那天人們要戴兇惡的面具？

4. 孫悟空有什麼本領？

5. 今年萬聖節你想扮什麼？你的服裝要怎麼做？

課文　古詩二首
(gǔ shī èr shǒu)

張老師一進教室就把一大包獎品放在
(zhāng lǎo shī) (jìn jiào shì) (jiǎng pǐn fàng)

桌子上，然後發給每個人兩張講義。張老師
(zhuō) (rán hòu fā gěi) (zhāng jiǎng yì)

笑著說：「上面有兩首唐詩和圖畫。在三十
(shǒu táng shī) (tú huà)

分鐘之內，如果誰能夠說出詩中的意思，
(fēn zhōng zhī nèi) (néng gòu) (shī) (yì si)

就有獎。如果誰還會背，就有大獎。　」
(jiǎng) (hái) (bèi) (jiǎng)

靜夜思　李白
(jìng yè sī) (lǐ bái)

床前明月光，
(chuáng qián míng yuè guāng)

疑是地上霜。
(yí shì dì shàng shuāng)

舉頭望明月，
(jǔ tóu wàng míng yuè)

低頭思故鄉。
(dī tóu sī gù xiāng)

古詩: ancient poems	首: measure word for poems, songs	教室: classroom　　獎品: prize
桌子: desk	然後: and then　　講義: handouts	唐詩: Tang Dynasty's poetry
圖畫: pictures	分鐘: minutes　　…之內: within…	能夠: to be able to
意思: meaning	背: to recite by memory	有獎: to be awarded with prize
如果: if	靜夜思: Thoughts on a quiet night	疑: to suspect
霜: frost	望: to look　　低頭: to lower one's head	故鄉: homeland

36

尋隱者不遇　賈島

松下問童子，

言師採藥去。

只在此山中，

雲深不知處。

同學們叫道：「很多字不認識，太難啦！」

張老師說：「誰有問題，可以舉手發問。這兩首詩，看起來難，其實並不難。只要對照著圖畫多念幾遍，就能明白其中的意思了。」

果然不錯，還不到三十分鐘，一大包獎品全發光了。

問題討論：

1. 老師說，要怎麼樣才能得到獎品？

2. 為什麼這兩首詩看起來難，其實不難呢？

3. 你也對照著圖畫，說說看這兩首詩的意思。

尋： to search	隱者： a hermit	遇： to meet	賈島： author
松樹： pine trees	童子： a boy	採藥： to gather herbal medicine	
深： deep	難： difficult	認識： to know, recognize	
問題： question	對照： to compare, contrast		幾遍： several times
其中： among those	果然 / 果然不錯： just as expected		

生字、詞語：

室 shì：教室 jiào shì 、校長室 xiào zhǎng shì
霜 shuāng：結霜了 jié shuāng le 、面霜 miàn shuāng

詩 shī：古詩 gǔ shī 、詩人 shī rén
望 wàng：望見 wàng jiàn 、希望 xī wàng

鐘 zhōng：五分鐘 wǔ fēn zhōng 、時鐘 shí zhōng
低 dī：低頭 dī tóu 、很低 hěn dī

背 bèi：背書 bèi shū 、背後 bèi hòu
鄉 xiāng：故鄉 gù xiāng 、鄉下 xiāng xià

句子練習：

室 shì　room

校長室 xiào zhǎng shì　　電腦室 diàn nǎo shì　　教室 jiào shì　　辦公室 bàn gōng shì

室內 shì nèi　indoor

：天氣這麼冷，還去游泳嗎？
tiān qì zhè me lěng, hái qù yóu yǒng ma

：是室內游泳池，沒問題的！
shì shì nèi yóu yǒng chí, méi wèn tí de

38

shì wēn
室溫 room temperature

問：現在室溫幾度？
xiàn zài shì wēn jǐ dù

答：七十度左右，不冷不熱。
qī shí dù zuǒ yòu　bù lěng bú rè

bèi
背 to recite from memory

：明天要考這首詩，你會背了嗎？
míng tiān yào kǎo zhè shǒu shī　nǐ huì bèi le ma

：我已經會背了。
wǒ2 yǐ jīng huì bèi le

bēi
背 to carry on the back

bèi bāo
背包 backpack

：背包好重啊！我都快背不動了。
bèi bāo hǎo zhòng a　wǒ dōu kuài bēi bu dòng le

：背包裡的東西太多了，拿一些在手上
bèi bāo lǐ de dōng xi tài duō le　ná yì xiē zài shǒu shang

吧！
ba

hěn dī
很低 very low

：地上怎麼結霜了？
dì shàng zěn me jié shuāng le

：昨夜氣溫很低，所以地上結霜了。
zuó yè qì wēn hěn dī　suǒ2 yǐ dì shàng jié shuāng le

39

語 文 練 習　第二週

生字、詞語：

獎 ㄐㄧㄤˇ：獎品 ㄆㄧㄣˇ、過 ㄍㄨㄛˋ 獎 ㄐㄧㄤˇ 了 ㄌㄜ　　深 ㄕㄣ：很 ㄏㄣˇ 深 ㄕㄣ、深 ㄕㄣ 深 ㄕㄣ 地 ㄉㄜ

圖 ㄊㄨˊ：圖畫 ㄏㄨㄚˋ、地 ㄉㄧˋ 圖 ㄊㄨˊ　　難 ㄋㄢˊ：很 ㄏㄣˇ 難 ㄋㄢˊ、難 ㄋㄢˊ 過 ㄍㄨㄛˋ

松 ㄙㄨㄥ：松 ㄙㄨㄥ 樹 ㄕㄨˋ　　　　　　　　識 ㄕˊ：認 ㄖㄣˋ 識 ㄕˊ、見 ㄐㄧㄢˋ 識 ㄕˊ

採 ㄘㄞˇ：採 ㄘㄞˇ 藥 ㄧㄠˋ、採 ㄘㄞˇ 草 ㄘㄠˇ 莓 ㄇㄟˊ　　題 ㄊㄧˊ：問 ㄨㄣˋ 題 ㄊㄧˊ、題 ㄊㄧˊ 目 ㄇㄨˋ

句子練習：

過 ㄍㄨㄛˋ 獎 ㄐㄧㄤˇ 了 ㄌㄜ　to over praise; to flatter

你 ㄋㄧˇ 的 ㄉㄜ 這 ㄓㄜˋ 首 ㄕㄡˇ 詩 ㄕ 真 ㄓㄣ 好 ㄏㄠˇ，寫 ㄒㄧㄝˇ 得 ㄉㄜ 比 ㄅㄧˇ 大 ㄉㄚˋ 詩 ㄕ 人 ㄖㄣˊ 都 ㄉㄡ 好 ㄏㄠˇ。

哪 ㄋㄚˇ 裡 ㄌㄧˇ！哪 ㄋㄚˇ 裡 ㄌㄧˇ！你 ㄋㄧˇ 太 ㄊㄞˋ 過 ㄍㄨㄛˋ 獎 ㄐㄧㄤˇ 了 ㄌㄜ。

難 ㄋㄢˊ　difficult

今 ㄐㄧㄣ 天 ㄊㄧㄢ 的 ㄉㄜ 考 ㄎㄠˇ 試 ㄕˋ 難 ㄋㄢˊ 不 ㄅㄨ 難 ㄋㄢˊ？

馬 ㄇㄚˇ 馬 ㄇㄚˇ 虎 ㄏㄨˇ 虎 ㄏㄨˇ，不 ㄅㄨˋ 容 ㄖㄨㄥˊ 易 ㄧˋ 也 ㄧㄝˇ 不 ㄅㄨˊ 太 ㄊㄞˋ 難 ㄋㄢˊ。

40

nán guò
難過　to feel bad, sad

：我的小狗生病了，我很難過。
（wǒ de xiǎo gǒu shēng bìng le, wǒ hěn nán guò）

：不要難過，牠會好起來的。
（bú yào nán guò, tā huì hǎo qǐ lai de）

duì zhào
對照　cross reference

：這首詩有英文翻譯，妳可以對照著看。
（zhè shǒu shī yǒu yīng wén fān yì, nǐ kě yǐ duì zhào zhe kàn）

：書本後面，還附有中英文生詞對照表。
（shū běn hòu mian, hái fù yǒu zhōng yīng wén shēng cí duì zhào biǎo）

qí zhōng
其中　among (which, them, etc.); in (which, it, etc.); inside

：「孝順的人有福氣」是什麼意思？
（xiào shùn de rén yǒu fú qì shì shén me yì si）

：你用心想想，就能明白其中的意思。
（nǐ yòng xīn xiǎng xiǎng, jiù néng míng bai qí zhōng de yì si）

guǒ rán bú cuò
果然不錯　exactly as one expected

：昨天氣象報告說今天會下雨。
（zuó tiān qì xiàng bào gào shuō jīn tiān huì xià yǔ）

：果然不錯，今天下了了一整天的雨。
（guǒ rán bú cuò, jīn tiān xià le yì zhěng tiān de yǔ）

41

1.

青青放學回家，一進門
就叫道：「爸！媽！
我回來了！」爸爸說：
「媽媽去中國城買菜，
應該快回來了。」

2.

青青揚起手中的巧克力
糖說：「看！我得的
獎品。」她拿出講義
給爸爸看，她說：
「我都會背了。」

3.

爸爸說：「嗯！李白的詩。
李白特別喜歡月亮。
小時候，他常牽著母親
的手在月光下散步。
後來，…

4. 李白住在外地。有一天

夜裡，月光照進室內，

床前的地面白得像霜

一樣。他望著明月，

想起了家鄉。…

於是他寫下這首靜夜思：

床前明月光，疑是

地上霜。舉頭望明月，

低頭思故鄉。」

青青說：「原來如此！」

6. 爸爸說：「賈島的這首詩

寫得更生動。有一天，

他到山裡去找朋友，

看見一個兒童在松樹下

玩兒。…

7.

他問道：『你師父呢？』

兒童說：『我師父採藥去了。』他又問：『去哪裡採藥？』兒童說：

『就在這座深山裡。』…

8.

他再問：『怎麼找他呢？』

兒童說：『山裡雲霧多，不知道他在哪兒呢！』…

9.

後來，他把當時的情景和對話寫了下來：

松下問童子，言師採藥去。只在此山中，雲深不知處。」

44

10. 青青說：「這不難！我也來試試看：進門問父親，言母買菜去。只在中國城，人多不知處。」

11. 爸爸說：「有獎！有獎！要什麼？」青青說：「手機。」爸爸說：「沒問題！以後不論媽媽在哪兒，妳都能找到她。」

問題與討論：

1. 青青的媽媽去哪裡了？她去做什麼？

2. 青青從學校得到了什麼獎品？她為什麼得到獎品？

3. 為什麼那個兒童不知道他師父在哪裡？

4. 青青為什麼要爸爸送她手機？

5. 試試看，給這首詩畫一張圖：白日依山盡，黃河入海流，欲窮千里目，更上一層樓。

課文 送什麼禮物

明明：聖誕節快到了，妳想送給父母親什麼禮物？

青青：我準備送他們一本畫冊。妳呢？

明明：我準備送他們一人一張禮券。

青青：是超級市場的禮券嗎？

明明：不是，是我自己做的禮券。

青青：禮券怎麼能自己做呢？那不是造假嗎？

明明：不是。我做一張洗車禮券給爸爸，就是幫爸爸洗車。

青青：真有趣。那妳送媽媽什麼呢？

明明：媽媽常常背痛。我要送她一張按摩禮券。

青青：妳真孝順！妳用什麼做禮券呢？

聖誕：Christmas	禮物：presents	準備：to prepare	畫冊：a picture album
禮券：gift certificate	超級：super	市場：market	造假：to counterfeit
洗車：car wash	幫：to help	背痛：backache	按摩：to massage

明明：用我自己做的紙，這樣才有特色。

青青：妳會造紙啊？

明明：上星期，勞作課老師教我們做的。

青青：你們用什麼來造紙呢？

明明：用破布、廢紙，還有一些其他的東西。

青青：聽起來很好玩兒！有機會我也要學學。

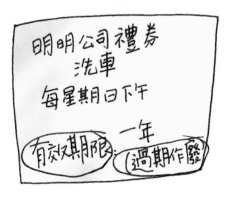

問題討論：

1.你最想收到什麼樣的聖誕禮物？為什麼？

2.你準備送給家人什麼聖誕禮物？

3.為什麼要送別人禮物？禮物代表什麼？

孝順：	to be loving and obedient	特色：	special feature	造紙：	to make paper
勞作：	arts and crafts	破布：	rags	廢紙：	waste paper
其他：	other	有效：	effective	期限：	time limit
過期：	over the time limit	作廢：	to expire		

生字、詞語：

禮（ㄌㄧˇ）：禮（ㄌㄧˇ）物（ㄨˋ）、禮（ㄌㄧˇ）品（ㄆㄧㄣˇ）店（ㄉㄧㄢˋ）

券（ㄑㄩㄢˋ）：禮（ㄌㄧˇ）券（ㄑㄩㄢˋ）、獎（ㄐㄧㄤˇ）券（ㄑㄩㄢˋ）

準（ㄓㄨㄣˇ）：準（ㄓㄨㄣˇ）時（ㄕˊ）

超（ㄔㄠ）：超（ㄔㄠ）級（ㄐㄧˊ）、超（ㄔㄠ）過（ㄍㄨㄛˋ）

備（ㄅㄟˋ）：準（ㄓㄨㄣˇ）備（ㄅㄟˋ）

級（ㄐㄧˊ）：年（ㄋㄧㄢˊ）級（ㄐㄧˊ）、高（ㄍㄠ）級（ㄐㄧˊ）

冊（ㄘㄜˋ）：第（ㄉㄧˋ）一（ㄧ）冊（ㄘㄜˋ）、手（ㄕㄡˇ）冊（ㄘㄜˋ）

造（ㄗㄠˋ）：造（ㄗㄠˋ）紙（ㄓˇ）、造（ㄗㄠˋ）句（ㄐㄩˋ）

句子練習：

zhǔn bèi
準（ㄓㄨㄣˇ）備（ㄅㄟˋ）　to plan to

xià xīng qī fàng jià　nǐ men zhǔn bèi qù nǎr wánr
：下（ㄒㄧㄚˋ）星（ㄒㄧㄥ）期（ㄑㄧ）放（ㄈㄤˋ）假（ㄐㄧㄚˋ），你（ㄋㄧˇ）們（ㄇㄣ˙）準（ㄓㄨㄣˇ）備（ㄅㄟˋ）去（ㄑㄩˋ）哪（ㄋㄚˇ）兒（ㄦ˙）玩（ㄨㄢˊ）兒（ㄦ˙）？

wǒ men zhǔn bèi qù huáng shí gōng yuán wánr
：我（ㄨㄛˇ）們（ㄇㄣ˙）準（ㄓㄨㄣˇ）備（ㄅㄟˋ）去（ㄑㄩˋ）黃（ㄏㄨㄤˊ）石（ㄕˊ）公（ㄍㄨㄥ）園（ㄩㄢˊ）玩（ㄨㄢˊ）兒（ㄦ˙）。

zhǔn bèi
準（ㄓㄨㄣˇ）備（ㄅㄟˋ）　to prepare

míng tiān pá shān　wǒ yào zhǔn bèi shén me ma
：明（ㄇㄧㄥˊ）天（ㄊㄧㄢ）爬（ㄆㄚˊ）山（ㄕㄢ），我（ㄨㄛˇ）要（ㄧㄠˋ）準（ㄓㄨㄣˇ）備（ㄅㄟˋ）什（ㄕㄣˊ）麼（ㄇㄜ˙）嗎（ㄇㄚ˙）？

nǐ zhǐ yào zhǔn bèi shí wù hé shuǐ jiù gòu le
：你（ㄋㄧˇ）只（ㄓˇ）要（ㄧㄠˋ）準（ㄓㄨㄣˇ）備（ㄅㄟˋ）食（ㄕˊ）物（ㄨˋ）和（ㄏㄜˊ）水（ㄕㄨㄟˇ）就（ㄐㄧㄡˋ）夠（ㄍㄡˋ）了（ㄌㄜ˙）。

zhǔn shí
準時 on time

míng tiān yǒu hù wài jiāo xué, dà jiā néng zhǔn shí dào xiào ma
：明天有戶外教學，大家能準時到校嗎？

bā diǎn zhōng shì ba! wǒ men kěn dìng huì zhǔn shí dào
：八點鐘是吧！ 我們肯定會準時到。

dì cè
第__ 冊 level__; volume __

wǒ xué xí měi zhōu huá yǔ, yǐ jīng xué xí dào
：我學習「美洲華語」，已經學習到

dì wǔ cè le
第五冊了。

wǒ2 yě shì míng nián wǒ men jiù yào xué xí dì liù cè le
：我也是。明年我們就要學習第六冊了。

chāo jí
超級 super

nǐ huì yòng chāo jí liǎng ge zì zào yì xiē xīn cí ma
：妳會用「超級」兩個字造一些新詞嗎？

dāng rán huì tīng zhe chāo jí shì chǎng chāo jí míng xīng
：當然會。聽著：「超級市場、超級明星、

chāo jí dà guó chāo jí qiú sài
超級大國、超級球賽。」

jí
級 grade

nǐ xiàn zài shàng jǐ nián jí le
：你現在上幾年級了？

wǒ2 yǐ jīng shàng wǔ nián jí le
：我已經上五年級了。

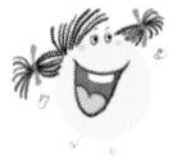

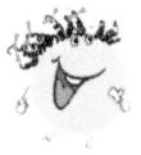

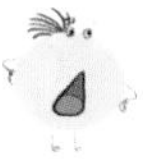

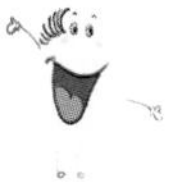

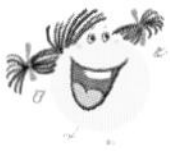

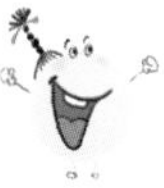

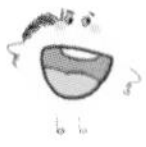

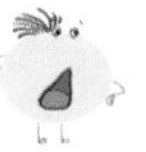

生字、詞語：

bāng	bāng máng	bāng zhù	pò	pò bù	pò le
幫：	幫忙 、	幫助	破：	破布 、	破了

tòng	bèi tòng	hěn tòng	fèi	fèi zhǐ	fèi wù
痛：	背痛 、	很痛	廢：	廢紙 、	廢物

shùn	xiào shùn	shùn biàn	xiào	yǒu xiào qī xiàn	xiào guǒ
順：	孝順 、	順便	效：	有效期限 、	效果

zuò	láo zuò	gōng zuò	sī	gōng sī	sī jī
作：	勞作 、	工作	司：	公司 、	司機

句子練習：

bāng bāng máng bāng máng
幫 ， 幫＿＿ 忙 ， 幫忙　to help

nǐ néng bāng ge máng ma
：你能幫個忙嗎？

wǒ néng bāng nǐ shén me máng
：我能幫妳什麼忙？

qǐng2 nǐ bāng máng bǎ zhè xiē bào zhǐ bān shàng chē
：請你幫忙把這些報紙搬上車。

shùn biàn
順便　with; while you are at it; at one's convenience

wǒ xiàn zài yào qù chāo jí shì chǎng nǐ yào shùn biàn qù ma
：我現在要去超級市場，妳要順便去嗎？

wǒ bú qù le qǐng2 nǐ shùn biàn bāng wǒ mǎi píng niú nǎi ba
：我不去了，請你順便幫我買瓶牛奶吧！

V ＋ 起來　when you ... (V) ... it

：這蛋糕聞起來很香，吃起來太甜了。

：這件衣服看起來很大，穿起來剛剛好。

有效期限　expiration date　　過期　expired

：吃東西之前，要注意看看有效期限。

：是呀！過期的東西，千萬不要吃。

工作　work ; job

：我每天都要工作九個小時，太累了！

：也許你應該換一個工作。

廢　useless　　廢物利用　make use of waste material

：這些廢紙沒用了吧？

：反面還可以寫字。我們要廢物利用。

51

第五課　　說故事：蔡倫造紙的故事

1.

上古時候，中國人把
重要的事記在龜甲
和動物的骨頭上，
很不方便。後來，…

2.

中國人又把竹片串成
一排，叫做造冊。

「冊」這個字是象形字，
就是兩片竹子串在一起
的意思。

3.

人們把字寫在冊上。
寫一部書就要用許多
「冊」。所以要搬運書，
就得準備一輛車才行。

4. 到了公元100年，有一位官員叫蔡倫。他把樹皮、破布、破魚網和絲棉放進鍋裡，加水煮成紙漿。

5. 再用長方形的網子把紙漿撈起，然後再把它烘乾，就成了一張紙。紙的發明，使中國文明進步得更快。

6. 紙不但可以用來寫字、畫畫兒，還可以用來做紙盒、糊窗戶、包東西等等。紙成了生活中不可少的日常用品。

53

7.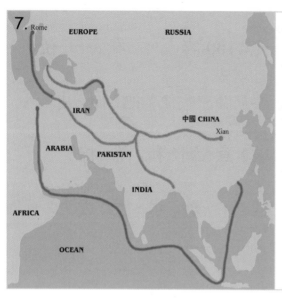

六百年後，中國造紙技術，才經過中東的國家，傳到了歐洲。

8.

如今，紙的成品非常多。如：報紙、書本、作業本、相片、名片、卡片、禮券、面紙、紙箱、紙袋、包裝紙和衛生紙⋯等等。

9.

可是，一棵生長了二十年的松樹，只能製造出十幾包白紙。因此，紙用得越多，地球上的樹木就越少。

10.

造紙公司為了生產高級紙張，常常使用大量的化學藥品。這些化學藥品會造成地球的污染。

11.

我們要愛護地球，最容易和最有效的方法，就是幫忙回收廢紙，因為廢紙可以用來重新造紙。

問題與討論：

1. 沒有發明紙以前，人們怎麼寫字看書？

2. 蔡倫用什麼東西造紙？

3. 紙是怎麼傳到歐洲去的？

4. 如果沒有紙，我們的生活會有什麼不方便？

5. 大量造紙為什麼對地球不好？

課文　怎樣吃才健康

今天下午，青青陪媽媽去超級市場買菜。

她們先到蔬菜部，青青說：「媽！多吃青菜對身體好，我們多買幾樣吧？」

媽媽說：「好！妳看，小白菜剛上市，我們去拿兩把！」

她們到肉類部拿了牛肉、排骨和魚。青青說：「媽！明天吃紅燒牛肉、炒魚片和排骨湯，好嗎？」

媽媽說：「沒問題！」

媽媽說：「時候不早了，我去拿牛奶，

健康：health, healthy　　陪：to accompany　　蔬菜：vegetables　　部門：department
青菜：green vegetable　　身體：body；health　　小白菜：green Napa Cabbage　　剛：just now
上市：in the market　　肉類：meats　　排骨：spare ribs　　紅燒：pot roast with soy sauce
炒：to stir fry　　零食：snacks　　葡萄乾：raisins

妳去零食部拿一盒葡萄乾，　再去拿

兩條麵包，　我在水果部等妳。」

　　排隊付錢時，青青看著推車裡的

食物自言自語地說：「這樣吃很健康。」

然後拿出錢包。服務員開玩笑地說：「哇！

妳管家？」青青說：「哪裡，我只是幫

媽媽管菜錢。」

媽媽說：「她可是

我的好幫手呢！」

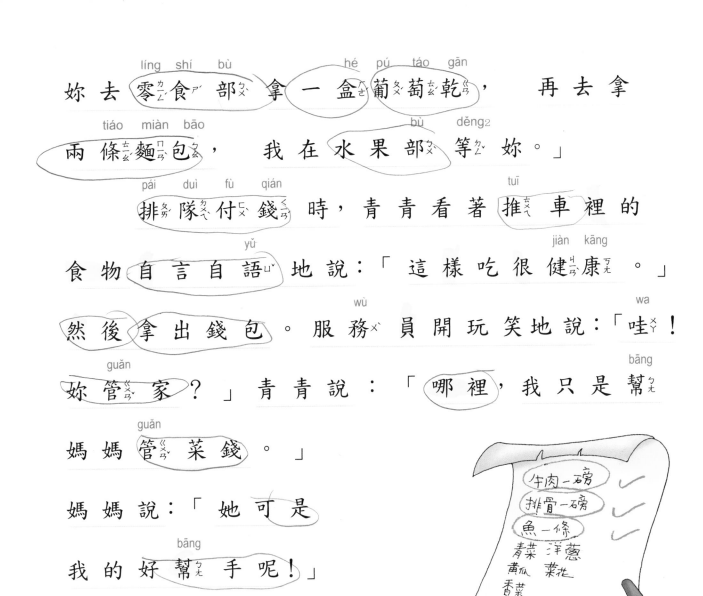

牛肉一磅
排骨一磅
魚一條
青菜　洋蔥
黃瓜　菜花
香菜
牛奶一瓶
葡萄乾一盒
麵包兩條

問題討論：

1. 超級市場裡有哪些部？

2. 青青想要媽媽做什麼菜？

3. 你喜歡吃哪些零食？對身體有好處嗎？

麵包： bread	水果： fruits	排隊： to line up; to be in line	付錢： to pay
推車： cart	食物： food	自言自語： to talk to oneself	錢包： purse
服務員： clerk	管： to take charge	管家： to manage the household	

57

第六課

語 文 練 習　第一週

生字、詞語：

陪ㄆㄟˊ：陪ㄆㄟˊ著ㄓㄜ

部ㄅㄨˋ：小ㄒㄧㄠˇ吃ㄔ部ㄅㄨˋ、部ㄅㄨˋ分ㄈㄣˋ

體ㄊㄧˇ：身ㄕㄣ體ㄊㄧˇ

剛ㄍㄤ：剛ㄍㄤ上ㄕㄤˋ市ㄕˋ、剛ㄍㄤ才ㄘㄞˊ

類ㄌㄟˋ：水ㄕㄨㄟˇ果ㄍㄨㄛˇ類ㄌㄟˋ、人ㄖㄣˊ類ㄌㄟˋ

燒ㄕㄠ：紅ㄏㄨㄥˊ燒ㄕㄠ豆ㄉㄡˋ腐ㄈㄨˇ、發ㄈㄚ燒ㄕㄠ

炒ㄔㄠˇ：炒ㄔㄠˇ飯ㄈㄢˋ、炒ㄔㄠˇ麵ㄇㄧㄢˋ

骨ㄍㄨˇ：排ㄆㄞˊ骨ㄍㄨˇ湯ㄊㄤ、骨ㄍㄨˇ頭ㄊㄡ

句子練習：

剛ㄍㄤ才ㄘㄞˊ　only a while ago　　剛ㄍㄤ（剛ㄍㄤ）just

1. 問：王ㄨㄤˊ老ㄌㄠˇ師ㄕ呢ㄋㄜ？ 他ㄊㄚ剛ㄍㄤ才ㄘㄞˊ還ㄏㄞˊ在ㄗㄞˋ這ㄓㄜˋ兒ㄦ看ㄎㄢˋ報ㄅㄠˋ紙ㄓˇ。

答：哦ㄛˊ！他ㄊㄚ剛ㄍㄤ（剛ㄍㄤ）走ㄗㄡˇ。

2. 問：這ㄓㄜˋ件ㄐㄧㄢˋ衣ㄧ服ㄈㄨˊ你ㄋㄧˇ穿ㄔㄨㄢ太ㄊㄞˋ小ㄒㄧㄠˇ了ㄌㄜ吧ㄅㄚ？

答：看ㄎㄢˋ起ㄑㄧˇ來ㄌㄞˊ小ㄒㄧㄠˇ，其ㄑㄧˊ實ㄕˊ剛ㄍㄤ（剛ㄍㄤ）好ㄏㄠˇ。

剛ㄍㄤ…就ㄐㄧㄡˋ　as soon as

青ㄑㄧㄥ青ㄑㄧㄥ剛ㄍㄤ回ㄏㄨㄟˊ來ㄌㄞˊ，就ㄐㄧㄡˋ去ㄑㄩˋ房ㄈㄤˊ間ㄐㄧㄢ做ㄗㄨㄛˋ功ㄍㄨㄥ課ㄎㄜˋ。

明ㄇㄧㄥˊ明ㄇㄧㄥˊ剛ㄍㄤ回ㄏㄨㄟˊ來ㄌㄞˊ，就ㄐㄧㄡˋ去ㄑㄩˋ廚ㄔㄨˊ房ㄈㄤˊ幫ㄅㄤ媽ㄇㄚ媽ㄇㄚ做ㄗㄨㄛˋ飯ㄈㄢˋ。

shàng shì

上市　go on the market, in season

táo zi shàng shì le ma

：桃子上市了嗎？

hái méi yǒu　zhè bú shì táo zi shàng shì de jì jié

：還沒有，這不是桃子上市的季節。

péi

陪　accompany

nǐ míng tiān kě yǐ péi wǒ qù mǎi shū ma

：你明天可以陪我去買書嗎？

duì bu qǐ　wǒ míng tiān yào péi mā ma qù wài pó jiā

：對不起，我明天要陪媽媽去外婆家。

lèi

類　category; kind; type

nǐ xǐ huan kàn nǎ yí lèi diàn yǐng

：妳喜歡看哪一類電影？

wǒ xǐ huan kàn dòng huà piàn hé gōng fū piàn

：我喜歡看動畫片和功夫片。

認識菜單：

美味餐館菜單
合菜（附送白飯/炒飯、水果）

二人份 $30	四人份 $40	六人份 $50
紅燒牛肉	雪菜毛豆	水煮牛肉
炒小白菜	清炒魚片	回鍋肉
家常豆腐	香干肉絲	魚香豆腐
蛋花湯	牛肉炒麵	清炒絲瓜
	青菜豆腐湯	冬瓜排骨湯

59

生字、詞語：

líng　：líng shí 零食、líng fēn 零分
零　：零食　、零分

tuī　：shǒu tuī chē 手推車、xiàng wài tuī 向外推
推　：手推車、向外推

gān　：pú táo gān 葡萄乾　、hěn gān 很乾
乾　：葡萄乾　、很乾

jiàn　：jiàn shēn fáng 健身房
健　：健身房

miàn　：miàn bāo 麵包、niú ròu miàn 牛肉麵
麵　：麵包　、牛肉麵

kāng　：jiàn kāng 健康、kāng fù 康復
康　：健康　、康復

fù　：fù qián 付錢
付　：付錢

guǎn　：guǎn lǐ 管理、xī guǎn 吸管
管　：管理　、吸管

句子練習：

tuī
推　push

1. 問：yí 咦？zhè ge mén zěn me lā bu kāi 這個門怎麼拉不開？

答：nǐ děi xiàng wài tuī cái xíng 你得向外推才行。

2. 老師，tā tuī wǒ 他推我！

dà jiā hǎo hǎo zǒu bú yào tuī lái tuī qù 大家好好走，不要推來推去。

líng shí
零食　snack

wǒ zuì xǐ huan chī líng shí le 我最喜歡吃零食了。

chī wán líng shí qiān wàn yào jì de shuā yá 吃完零食，千萬要記得刷牙。

60

管 to be in charge 管理 to manage

1. 我們家，媽媽管做飯，爸爸管洗碗。

我們家，我管擦桌子，哥哥管倒垃圾。

2. 你怎麼管理你的零用錢？

大部分存到銀行，小部分零花。

吸管 straw

這是你們的果汁和可樂，要吸管嗎？

他要一根吸管，我不用了，謝謝你。

乾燥、乾 dry

1. 我最近常流鼻血。

最近天氣太乾燥了，應該要多喝水。

2. 妳看！才下過毛毛雨，路面就乾了。

是啊，太陽很大，一下子就曬乾了。

乾 dry food

我要買牛肉乾和豬肉乾，你呢？

我要買葡萄乾和芒果乾。

61

第 六 課　　　說故事：食物金字塔

1.

晚飯時，爸爸看見滿桌子菜，就說：「過年啦！」

爺爺說：「還早呢！今天是臘八節，是紀念佛祖和吃臘八粥的節日。」

2.

媽媽說：「今天的臘八粥裡有白米、紅米、小米、黑豆、紅豆、花生、紅棗、和葡萄乾。」

友友說：「好棒喔！」

3.

友友回房間拿出一張講義。他指著桌上的食物說：「紅燒排骨是肉類、炒青菜是蔬菜類、炒麵是⋯」

4.

爺爺問：「友友，那是什麼？」友友說：「食物金字塔。老師說，每天都要照著它吃，身體才會健康。⋯

5.

Grains　Vegetables　Fruits　Milk　Meat & Beans

金字塔有六部分：五穀類、蔬菜類、水果類、魚肉及豆類、奶漿類，還有脂肪、糖和鹽。⋯⋯

6.

黃色部分代表脂肪、糖和鹽。黃色部分很小，老師說，這些東西不能多吃，吃多了對身體不好。」

7.

爺爺說：「老師說得很有道理。脂肪就是動物油和植物油。牛油和肥肉都是動物油，最好不要多吃。…

食品公司在零食裡面，加了脂肪、糖和鹽。所以吃零食以前，要特別注意包裝紙上的說明。」

媽媽說：「友友，以後啊，買什麼零食就由你來管，怎麼樣？」友友說：「好啊！我會先看零食的成份。」

10.

媽媽端出一大碗臘八粥。

友友說：「哇！好香啊！

這裡面有五穀、豆類、

和乾果。太棒了！」

11.

媽媽說：「多吃點兒！

吃完飯以後，陪爺爺

出去散步。要身體健康，

光吃得好還不夠，

運動也很重要。」

問題與討論：

1. 什麼是臘八粥？

2. 食物金字塔裡，分成哪六部分？

3. 食物金字塔有什麼用？

4. 為什麼我們不能吃太多零食？

5. 要怎麼樣身體才會健康？

課文　短期運動營 (duǎn qī yùn dòng yíng)

老　師：春假(chūn jià)期間，學校要舉辦(jǔ bàn)一個
短(duǎn)期的運動營(yíng)，歡迎(huān yíng)有興趣(xìng qù)的
同學來參加(cān jiā)。這裡有報名表(bào míng biǎo)。

中　中：老師！友友和我參(cān)加過市政府(shì zhèng fǔ)
辦(bàn)的運動營(yíng)。

老　師：那你們來跟(gēn)大家說說，好吧？

中　中：參(cān)加這個活(huó)動的好處(chù)，就是
可以學習各種(gè zhǒng)球類(lèi)。

友　友：星期一我們打籃(lán)球。教練(liàn)先說明
打球的規則(guī zé)，然後再練習(liàn)投(tóu)球、
傳(chuán)球、接(jiē)球和拍(pāi)球。最後分(fēn)成
兩隊比賽(duì bǐ sài)。

中　中：星期二、三、四，
分別(bié)打排(pái)球、
足(zú)球和網(wǎng)球。

短期：short term	運動營：sports camp	舉辦：to hold (an activity)	歡迎：to welcome
有興趣：interested	參加：to participate	報名表：application form	政府：government
好處：benefit	籃球：basketball	教練：coach	規則：rule; regulation
練習：to practice	投球：to shoot basket	傳球：to pass the ball	

友友：星期五打棒球。比賽的時候，

中中還打了一個全壘打！

中中：參加過運動營，我才知道自己

最喜歡打棒球。

友友：我覺得網球最好玩兒，我就決定

專心打網球了。

老師：中中、友友，你們說得很好。謝謝

你們。

問題討論：

1. 參加運動營有什麼好處？

2. 打籃球要學會哪些動作？

3. 你最喜歡哪種運動？為什麼？

接球： to catch the ball	分成： to divide into	隊： team	比賽： to compete
分別： separately	排球： volley ball	足球： soccer	網球： tennis
棒球： baseball	全壘打： homerun	決定： to decide	專心： to concentrate, to focus

生字、詞語：

辦 bàn：舉辦 jǔ bàn 、辦法 bàn fǎ　　參 cān：參加 cān jiā

短 duǎn：短期 duǎn qī 、很短 hěn2 duǎn　　政 zhèng：政治 zhèng zhì

營 yíng：運動營 yùn dòng yíng 、露營 lù yíng　　府 fǔ：政府 zhèng fǔ 、市政府 shì zhèng fǔ

迎 yíng：歡迎 huān yíng 、迎新會 yíng xīn huì　　練 liàn：教練 jiào liàn 、練習 liàn xí

句子練習：

舉辦 jǔ bàn　hold

你知道運動營在哪裡舉辦嗎？
nǐ zhī dao yùn dòng yíng zài nǎ2 lǐ jǔ bàn ma

在陽光高中舉辦，我們一起去報名吧！
zài yáng guāng gāo zhōng jǔ bàn　wǒ men yì qǐ qù bào míng ba

好處 hǎo chù　advantages

多看書有什麼好處？
duō kàn shū yǒu shén me hǎo chù

最大的好處，就是能學到很多知識。
zuì dà de hǎo chù　jiù shì néng xué dào hěn duō zhī shi

68

huān yíng

歡迎 welcome

：歡迎光臨！請問有幾位？

：就我們四個。

cān jiā

參加 join; attend; participate in

：我是小華！我想參加今天的討論會。

：歡迎！歡迎！歡迎你來參加我們的活動。

bàn 辦 do; handle　　**bàn fǎ** 辦法 method; way; means　　**bàn gōng shì** 辦公室 office

：今天有游泳課，我忘了帶游泳衣，怎麼辦？

：我帶了兩件，妳要穿我的嗎？

：如果我穿不下，怎麼辦？

：去告訴王教練吧！我想他會有辦法。

：如果王教練沒有辦法，那怎麼辦？

：那就去辦公室打電話，請媽媽送來。

69

語 文 練 習　第二週

生字、詞語：

投 tóu ：投 tóu 球 qiú 、投 tóu 手 shǒu	網 wǎng ：網 wǎng 球 qiú 、上 shàng 網 wǎng
傳 chuán ：傳 chuán 球 qiú 、傳 chuán 說 shuō	棒 bàng ：棒 bàng 球 qiú 、很 hěn 棒 bàng
接 jiē ：接 jiē 球 qiú 、接 jiē 見 jiàn	決 jué ：決 jué 定 dìng 、決 jué 心 xīn
隊 duì ：球 qiú 隊 duì 、排 pái 隊 duì	專 zhuān ：專 zhuān 心 xīn 、專 zhuān 用 yòng

句子練習：

tóu
投 to throw

：tīng shuō hóng duì de tóu shǒu hěn bàng
聽說紅隊的投手很棒。

：duì tā hěn huì tóu qiú bìng qiě hěn huì jiē qiú
對！他很會投球，並且很會接球。

chuán
傳 to pass on　　傳真 chuán zhēn to fax

：qǐng qián pái de tóng xué bǎ jiǎng yì chuán dào hòu mian qù
請前排的同學，把講義傳到後面去。

：lǎo shī wǒ kě yǐ yòng chuán zhēn de fāng shì jiāo bào gào ma
老師，我可以用傳真的方式交報告嗎？

：kě yǐ nǐ men yě kě yǐ fā diàn yóu gěi wǒ
可以。你們也可以發電郵給我。

70

jiē dào　to receive　　jiē　to pick-up
接到　to receive　　接 to pick-up

gāng gāng jiē dào nǎi nai de diàn huà　tā míng tiān liù diǎn2 zhěng
：剛剛接到奶奶的電話，她明天六點整

dào jī chǎng
到機場。

míng tiān wǒ xiān qù xué xiào jiē nǐ　rán hòu wǒ men zài qù
：明天我先去學校接你，然後我們再去

jī chǎng jiē nǎi nai
機場接奶奶。

jiē jiàn　to grant an interview to
接見　to grant an interview to

hòu tiān xiào zhǎng yào jiē jiàn xué shēng huì dài biǎo
：後天校長要接見學生會代表。

zuó tiān shì zhǎng yě jiē jiàn guò tā men
：昨天市長也接見過他們。

wǎng　internet　；　shàng wǎng　to go online
網　internet　；　上網　to go online

wǒ2 xiǎng cān jiā lán qiú yíng　kě2 yǐ zài wǎng shàng bào míng ma
：我想參加籃球營，可以在網上報名嗎？

zhè shì wǎng2 zhǐ　nǐ kě2 yǐ shàng wǎng bào míng
：這是網址，你可以上網報名。

jué dìng　to decide; to make up one's mind　　jué xīn　determination
決定　to decide; to make up one's mind　　決心　determination

wǒ jué dìng yào cān jiā wǎng qiú duì
：我決定要參加網球隊。

zhǐ yào xià dìng jué xīn　tiān tiān liàn xí　jiù méi wèn tí
：只要下定決心，天天練習，就沒問題。

71

第 七 課　　　說故事：最早的華人棒球隊

1. 星期六，李教練在家裡辦了一個迎新會，歡迎今年的新隊員。李教練家的客廳裡，掛滿了棒球隊的照片。

2. 他指著其中一張照片說：「這是 1875 年美國康州的東方人棒球隊。」大家好奇地坐下來聽他說故事。

3. 他說：「1872 年到 1875 年，中國政府決定每年送 30 名幼童來美國留學。他們都是小男生，平均只有 12 歲。……

4.

他們從中國上海出發，在太平洋上航行了30天才到美國舊金山，然後再坐火車去了康州的Hartford市。…

5.

當地的美國人把他們接回家住。有人夜裡想家，還會哭醒。不久，他們就和美國同學打成一片了。…

6.

他們學習的時候很專心，所以功課很好。他們常在一起學習中文和打球。他們最喜歡打棒球。…

73

7.

那時候，美國的球類運動有足球、網球和棒球。足球和網球是從歐洲傳來的，只有棒球是美國的。⋯

8.

Orientals Baseball Club

後來，他們成立了『東方人棒球隊』，並且常常參加比賽。那時候，籃球、排球和美式足球都還沒有發明呢。⋯

9.

後來，他們進入耶魯、哈佛等名校求學。Grant 總統接見過他們。1881 年，中國政府忽然召他們回國。⋯

10.

在回國之前，他們和加州Oakland的球隊進行了一場比賽。結果他們大勝。投手的技巧，特別讓美國人吃驚。…

11.

所以，在歷史上，『東方人棒球隊』不但是美國第一個華人的棒球隊，而且，也是第一個亞洲人的棒球隊。」

問題與討論：

1. 「中國幼童」如何從中國到康州？
2. 「中國幼童」回國之前和誰比賽？結果怎麼樣？
3. 東方人棒球隊有什麼特別的地方？
4. 你願意離家到別的國家去讀書嗎？為什麼？

75

課文　　：誰_{shéi}是_{shì}美_{měi}國_{guó}花_{huā}木_{mù}蘭_{lán}

明　明：昨_{zuó}天我去看了「花木蘭」這部動畫電影_{yǐng}。好看極_{jí}了！

青　青：歷_{lì}史_{shǐ}故事裡的花木蘭_{lán}，比電影上的更勇敢_{yǒng gǎn}。她女扮男裝_{bàn nán zhuāng}打了十二年的仗_{zhàng}。

明　明：妳聽_{tīng}說過 Deborah Sampson 嗎？

青　青：她好像_{xiàng}是美_{měi}國_{guó}第一個女退伍_{tuì wǔ}軍_{jūn}人，是吧？

明　明：是，她先給自己取_{qǔ}一個男性_{xìng}名字，然_{rán}後，就女扮_{bàn}男裝_{zhuāng}去當兵_{dāng bīng}。後來打仗_{zhàng}受傷_{shòu shāng}了，才被_{bèi}醫_{yī}生發現_{xiàn}她是女性_{xìng}。

青　青：後來呢？

明　明：等_{děng}她傷_{shāng}好了以後，醫生才把這件_{jiàn}事報告_{bào gào}她的長官_{zhǎng guān}。後來，華盛頓_{huá shèng dùn}

動畫電影: animation movie　　歷史: history　　勇敢: brave　　女扮男裝: cross dressing as man
打仗: to fight in battles　　退伍軍人: veterans　　當兵: to be a soldier
受傷: injured　　醫生: physician; doctor　　發現: to discover　　女性: female
報告: to report　　長官: superior officer　　華盛頓: Washington　　將軍: general
讓: to let

將軍 知道了，就決定讓她退伍。

青青：為什麼女性沒有當兵的自由，
真是不公平！

明明：華盛頓並沒有忘記這件事。
他當總統以後，就請國會立法，
讓 Deborah 也能拿到軍人退休金。
那時，Deborah 已經結婚了，她
生活得很幸福。

青青：嗯，雖然 Deborah
沒有花木蘭那麼
偉大，可是也
很了不起。

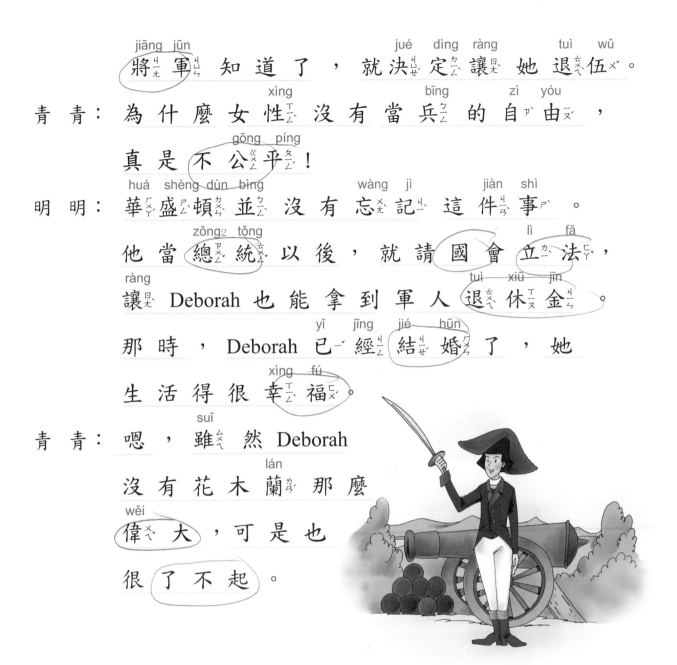

問題討論：

1. 你看過哪些動畫電影？你最喜歡哪一部？

2. 用你自己的話，說說 Deborah Sampson 的故事。

3. 你覺得女性可以當兵嗎？為什麼？

退伍：to be discharged from the service　　公平：fair　　忘記：forget

一件事：one thing　　總統：president　　國會：congress

立法：to legislate, to make into law　　退休金：pension　　已經：already

結婚：to marry　　幸福：happy, blessed　　雖然：although　　偉大：great

了不起：wonderful; great

語 文 練 習 | 第一週

生字、詞語：

yǒng 勇ㄩㄥˇ：勇ㄩㄥˇ氣ㄑㄧˋ	bīng 兵ㄅㄧㄥ：當ㄉㄤ兵ㄅㄧㄥ
gǎn 敢ㄍㄢˇ：勇ㄩㄥˇ敢ㄍㄢˇ、不ㄅㄨˋ敢ㄍㄢˇ	shòu 受ㄕㄡˋ：忍ㄖㄣˇ受ㄕㄡˋ、接ㄐㄧㄝ受ㄕㄡˋ
zhàng 仗ㄓㄤˋ：打ㄉㄚˇ仗ㄓㄤˋ	shāng 傷ㄕㄤ：受ㄕㄡˋ傷ㄕㄤ、傷ㄕㄤ心ㄒㄧㄣ
tuì 退ㄊㄨㄟˋ：退ㄊㄨㄟˋ伍ㄨˇ軍ㄐㄩㄣ人ㄖㄣˊ、退ㄊㄨㄟˋ休ㄒㄧㄡ	xìng 性ㄒㄧㄥˋ：女ㄋㄩˇ性ㄒㄧㄥˋ、個ㄍㄜˋ性ㄒㄧㄥˋ

句子練習：

yǒng2 gǎn　　　　　gǎn
勇ㄩㄥˇ敢ㄍㄢˇ　brave　　敢ㄍㄢˇ　dare to

問：
nǐ jué de shén me yàng de rén zuì yǒng2 gǎn
你ㄋㄧˇ覺ㄐㄩㄝˊ得ㄉㄜ什ㄕㄣˊ麼ㄇㄜ樣ㄧㄤˋ的ㄉㄜ人ㄖㄣˊ最ㄗㄨㄟˋ勇ㄩㄥˇ敢ㄍㄢˇ？

答：
wǒ jué de gǎn rèn cuò de rén zuì yǒng2 gǎn
我ㄨㄛˇ覺ㄐㄩㄝˊ得ㄉㄜ敢ㄍㄢˇ認ㄖㄣˋ錯ㄘㄨㄛˋ的ㄉㄜ人ㄖㄣˊ最ㄗㄨㄟˋ勇ㄩㄥˇ敢ㄍㄢˇ。

問：
nǐ2 gǎn bu gǎn tīng guǐ gù shi
你ㄋㄧˇ敢ㄍㄢˇ不ㄅㄨˋ敢ㄍㄢˇ聽ㄊㄧㄥ鬼ㄍㄨㄟˇ故ㄍㄨˋ事ㄕˋ？

答：
wǒ2 gǎn tīng dàn shì wǒ bù xǐ huan tīng
我ㄨㄛˇ敢ㄍㄢˇ聽ㄊㄧㄥ，但ㄉㄢˋ是ㄕˋ我ㄨㄛˇ不ㄅㄨˋ喜ㄒㄧˇ歡ㄏㄨㄢ聽ㄊㄧㄥ。

shòu shāng
受ㄕㄡˋ傷ㄕㄤ　to be injured; be be wounded; to be get hurt

nǐ de jiǎo zěn me shòu shāng le
妳ㄋㄧˇ的ㄉㄜ腳ㄐㄧㄠˇ怎ㄗㄣˇ麼ㄇㄜ受ㄕㄡˋ傷ㄕㄤ了ㄌㄜ？

zuó tiān zài lán qiú chǎng shang bèi rén zhuàng shāng le
昨ㄗㄨㄛˊ天ㄊㄧㄢ在ㄗㄞˋ籃ㄌㄢˊ球ㄑㄧㄡˊ場ㄔㄤˇ上ㄕˋ被ㄅㄟˋ人ㄖㄣˊ撞ㄓㄨㄤˋ傷ㄕㄤ了ㄌㄜ。

jiē shòu
接受 accept

: 我想他不是故意撞妳的。
wǒ xiǎng tā bú shì gù yì zhàng nǐ de

: 我知道，所以我接受了他的道歉。
wǒ zhī dao suǒ yǐ wǒ jiē shòu le tā de dào qiàn

rěn shòu
忍受 to bear; to stand

rěn shòu bu liǎo
（忍）受不了 can not stand

: 今天太冷了，真是受不了！
jīn tiān tài lěng le zhēn shi shòu bu liǎo

: 我能忍受天冷，但是不能忍受天熱。
wǒ néng rěn shòu tiān lěng dàn shì bù néng rěn shòu tiān rè

填寫報名表：

春假短期運動營報名表
活動日期： 4/11 - 4/16

參 加 者 姓 名 ：＿＿＿＿＿＿＿＿＿   性別： ☐男 ☐女

出 生 日 期 ：＿＿＿＿＿年 ＿＿＿＿月 ＿＿＿＿日

家 長 姓 名 ：＿＿＿＿＿＿＿＿＿＿＿＿＿＿＿

電話（住家）：＿＿＿＿＿＿＿＿＿＿＿＿＿＿＿

電話（工作）：＿＿＿＿＿＿＿＿＿＿＿＿＿＿＿

住址：＿＿＿＿＿＿＿＿＿＿＿＿＿＿＿＿＿＿＿

參加項目（請選四項）：

☐籃球 ☐排球 ☐足球 ☐網球 ☐棒球 ☐桌球

生字、詞語：

官 guān：長 zhǎng 官 guān、官 guān 員 yuán	總 zǒng：總 zǒng 共 gòng 、總 zǒng 是 shì
華 huá：華 huá 盛 shèng 頓 dùn 、華 huá 人 rén	統 tǒng：總 zǒng2 統 tǒng
讓 ràng：讓 ràng 給 gěi 、讓 ràng 開 kāi	福 fú：幸 xìng 福 fú
件 jiàn：一 yī 件 jiàn	雖 suī：雖 suī 然 rán

句子練習：

雖 suī 然 rán … 可 kě 是 shì　although…but…

問：你 nǐ 知 zhī 道 dao 安 ān 安 an 家 jiā 的 de 地 dì 址 zhǐ 嗎 ma ？

答：雖 suī 然 rán 我 wǒ 常 cháng 去 qù ，可 kě 是 shì 不 bú 記 jì 得 de 他 tā 家 jiā 的 de

地 dì 址 zhǐ 。

總 zǒng 共 gòng　totally

問：現 xiàn 在 zài 美 měi 國 guó 總 zǒng 共 gòng 有 yǒu 多 duō 少 shao 華 huá 人 rén ？

答：好 hǎo 像 xiàng 總 zǒng 共 gòng 有 yǒu 三 sān 百 bǎi 八 bā 十 shí 萬 wàn 人 rén 。

總 zǒng 是 shì　always

問：為 wèi 什 shén 麼 me 她 tā 總 zǒng 是 shì 快 kuài 快 kuài 樂 lè 樂 lè 的 de ？

答：因 yīn 為 wèi 她 tā 的 de 個 gè 性 xìng 很 hěn 平 píng 和 hé ，很 hěn2 少 shǎo 生 shēng 氣 qì 。

讓　ràng　to allow

：你現在可以出來玩兒嗎？

：我感冒了，媽媽不讓我出去玩兒。

讓　ràng　to let

：這道數學題怎麼做？

：讓我想想看再告訴妳。

讓　ràng　to yield

1. 在公共汽車上，請讓座位給年老的人。

2. 請大家讓開一下，讓我們把桌子搬進來。

福　fú　blessing; happiness; good luck

：請你們用「福」這個字說一句成語。

：我們千萬不要「人在福中不知福。」

：我們應該要「知福、惜福、再造福。」

81

說故事：花木蘭的故事

1.
一千四百多年前，中國北方有一個女孩兒，名字叫花木蘭。她不但會騎馬射箭，而且還會武功。

2.
當時，北方的敵人來打中國。所以男性都要去當兵。木蘭的父親雖然年紀大，但是也被徵召了。

3.
木蘭很孝順，她女扮男裝來到父母面前，請求父母答應讓她代父從軍，父母沒辦法，只好答應了。

82

4.

木蘭準備好馬匹和行裝，就趕去軍隊報到。木蘭在軍中很勇敢，又很會打仗，不久，她就升為軍官。

5.

有一次，太陽剛下山，遠處的樹林裡，忽然有一群鳥飛出來。木蘭就料到當晚敵人會打來。

6.

她馬上回到軍營做準備。夜裡，敵軍果然來了，雖然，木蘭的軍隊人數很少，但是，她把敵軍全打退了。

7.

木蘭在軍中十二年。
她打過無數次勝仗，
也受過許多次傷。
她為國家收回許多
失去的土地。後來…

國家安定了，木蘭
向皇上表示，她不想
當官，只想回鄉孝順
父母。皇上送她一些
金銀和一匹千里馬。

9.

木蘭在軍中結交了幾個
好戰友，其中賀靈將軍
跟她最要好。現在，
木蘭要回鄉了，戰友們
一起送她回去。

10. 父母看見木蘭平安回來，非常高興。當木蘭打扮好，從房裡出來，戰友們都大吃一驚，他們沒料到木蘭將軍是女子！

11. 於是，花木蘭代父從軍的故事被傳播開來。後來，木蘭和賀靈將軍結婚了，他們過著快樂幸福的日子。

問題與討論：

1. 花木蘭為什麼要代父從軍？

2. 花木蘭是一個怎樣的軍人？

3. 花木蘭看到樹林裡的飛鳥，怎麼知道敵人會打來？

4. 花木蘭為什麼不想當官？皇上答應她了嗎？

5. 花木蘭的戰友怎麼發現她是女子？

美國印地安博物館
měi guó yìn dì ān bó wù guǎn

五月一日　雨後晴(qíng)

　　我們來美國首都華盛頓(huá shèng dùn)已經三天了。

昨天參觀(cān guān)過美洲歷史(lì shǐ)博物館(bó... guǎn)、自然

博物館(bó guǎn)和科學(kē)博物館(bó guǎn)。今天我們要

參觀(cān guān)新建(jiàn)的印地安(yìn ān)博物館(bó guǎn)。媽媽說：

「印(yìn)地安人一向(xiàng)愛惜(xī)自然，他們認為(rèn)

大自然是神聖(shén shèng)的。現在印(yìn)地安文化(huà)

越(yuè)來越(yuè)受(shòu)到重視(zhòng shì)，這是一個好現(xiàn)象。」

　　印(yìn)地安博物館(bó guǎn)在國家廣場內(guǎng2 chǎng nèi)，

一進(jìn)大門，就有

一座面具雕像(zuò miàn jù diāo xiàng)，

它是加拿大政府(zhèng fǔ)

送的禮物(lǐ... lóu)。二樓

是禮品店(lǐ2 pǐn diàn)，三樓(lóu)、

攝影：葉淑靜

印地安：Indian (American natives)	博物館：museum	參觀：to visit and tour	美洲：America
自然：nature; natural	科學：science	新建：newly built	廣場：square
雕像：statue	加拿大：Canada	一向：has always been	現象：phenomenon
認為：to consider; to believe	神聖：holy	文化：culture	二樓：second floor
越來越：getting more and more	受重視：to be considered as important		禮品店：gift shop

86

四樓是展覽館。這裡保有美洲一萬

兩千年前的文物，這些文物都是他們

祖先留下來的。在歐洲移民來到美洲

之前，印地安人是這裡的主人。

三樓有一句十分醒目的標語：

"We are still here"。記得老師說過：「現在

印地安人越來越明白，在這個民主的

國家，知識和選票

才是力量。」我

深深地祝福他們。

問題討論：

1. 在這篇日記裡，作者參觀了哪些博物館？
2. 為什麼要把"We are still here"放在博物館裡？
3. 知識和選票有什麼力量？

展覽館：exhibition hall　　標語：slogan　　　　醒目：eye catching　　移民：immigrant

保有：to keep; to have　　祖先：ancestors　　　一萬：10,000　　　　　力量：strength

文物：artifacts　　　　　　留下：to leave behind　歐洲：Europe　　　　祝福：to bless

主人：host; owner; master　知識：knowledge　　　選票：votes

深深地：greatly; sincerely

語文練習 | 第一週

生字、詞語：

觀 guān：參觀 cān guān、觀察 guān chá	館 guǎn：飯館 fàn guǎn、圖書館 tú shū guǎn
歷 lì：歷史 lì shǐ、美國歷史 měi guó lì shǐ	科 kē：科學 kē xué、學科 xué kē
史 shǐ：古代史 gǔ dài shǐ、近代史 jìn dài shǐ	建 jiàn：新建的 xīn jiàn de、建成 jiàn chéng
博 bó：博物館 bó wù guǎn、博士 bó shì	印 yìn：印地安人 yìn dì ān rén、印刷 yìn shuā

句子練習：

jiàn
建　to build

zhè zuò tú shū guǎn shì zài　　nián jiàn chéng de
1. 這座圖書館是在 1900 年建成的。

zhè shì yí zuò xīn jiàn de yī yuàn　　qù nián cái jiàn chéng de
2. 這是一座新建的醫院，去年才建成的。

zhòng shì
重視　think highly of; to pay attention to

bà ba hé mā ma hěn zhòng shì yé ye de yì jiàn
1. 爸爸和媽媽很重視爺爺的意見。

lǎo shī hěn zhòng shì wǒ men de xué xí chéng guǒ
2. 老師很重視我們的學習成果。

學ㄒㄩㄝ 科ㄎㄜ course; subject　美ㄇㄟ 勞ㄌㄠ arts & crafts　文ㄨㄣ 法ㄈㄚ grammar

科ㄎㄜ 學ㄒㄩㄝ science　常ㄔㄤ 識ㄕ social studies　歷ㄌㄧ 史ㄕ history

地ㄉㄧ 理ㄌㄧ geography　體ㄊㄧ 育ㄩ PE　打ㄉㄚ 字ㄗ typing　音ㄧㄣ 樂ㄩㄝ music

五　年　級　上　課　時　間　表				
時間/日期	星期一	星期二	星期三	星期四	星期五
8:10- 9:10	數學	數學	數學	數學	數學
9:10-10:10	英文	英文	英文	英文	英文
10:10-10:30	上午休息時間				
10:30-11:30	科學	常識	科學	常識	常識
11:30-12:30	數學	音樂	數學	音樂	英文
12:30-13:10	午飯時間				
13:10-14:50	體育	英文	體育	英文	美術

爺ㄧㄝ 爺ㄧㄝ，這ㄓㄜ是ㄕ我ㄨㄛ用ㄩㄥ中ㄓㄨㄥ文ㄨㄣ寫ㄒㄧㄝ的上ㄕㄤ課ㄎㄜ時ㄕ間ㄐㄧㄢ表ㄅㄧㄠ。

你ㄋㄧ們ㄇㄣ一ㄧ共ㄍㄨㄥ有ㄧㄡ幾ㄐㄧ門ㄇㄣ學ㄒㄩㄝ科ㄎㄜ？

一ㄧ共ㄍㄨㄥ有ㄧㄡ七ㄑㄧ門ㄇㄣ學ㄒㄩㄝ科ㄎㄜ：英ㄧㄥ文ㄨㄣ、數ㄕㄨ學ㄒㄩㄝ、常ㄔㄤ識ㄕ、

科ㄎㄜ學ㄒㄩㄝ、音ㄧㄣ樂ㄩㄝ、體ㄊㄧ育ㄩ和ㄏㄜ美ㄇㄟ術ㄕㄨ。

看ㄎㄢ來ㄌㄞ你ㄋㄧ們ㄇㄣ上ㄕㄤ英ㄧㄥ文ㄨㄣ課ㄎㄜ的時ㄕ間ㄐㄧㄢ最ㄗㄨㄟ多ㄉㄨㄛ，是ㄕ吧ㄅㄚ！

因ㄧㄣ為ㄨㄟ我ㄨㄛ們ㄇㄣ還ㄏㄞ要ㄧㄠ學ㄒㄩㄝ英ㄧㄥ文ㄨㄣ文ㄨㄣ法ㄈㄚ和ㄏㄜ打ㄉㄚ字ㄗ嘛ㄇㄚ！

你ㄋㄧ們ㄇㄣ沒ㄇㄟ有ㄧㄡ歷ㄌㄧ史ㄕ課ㄎㄜ和ㄏㄜ地ㄉㄧ理ㄌㄧ課ㄎㄜ嗎ㄇㄚ？

我ㄨㄛ們ㄇㄣ的常ㄔㄤ識ㄕ課ㄎㄜ就ㄐㄧㄡ是ㄕ學ㄒㄩㄝ美ㄇㄟ國ㄍㄨㄛ歷ㄌㄧ史ㄕ和ㄏㄜ地ㄉㄧ理ㄌㄧ。

語 文 練 習 ｜ 第二週

生字、詞語：

yuè　　　yuè lái　yuè hǎo 越 ： 越 來 越 好	yí　　　yí mín　　yí dòng 移 ： 移 民 、 移 動
bǎo　　　bǎo2 yǒu　　bǎo hù 保 ： 保 有 、 保 護	xuǎn　　xuǎn2 jǔ　　xuǎn zé 選 ： 選 舉 、 選 擇
zǔ　　　zǔ xiān　　zǔ fù 祖 ： 祖 先 、 祖 父	piào　　xuǎn piào　　chē piào 票 ： 選 票 、 車 票
liú　　　liú xià lái　　liú xué shēng 留 ： 留 下 來 、 留 學 生	liàng　　lì liàng　　liàng cí 量 ： 力 量 、 量 詞

句子練習：

xuǎn2 jǔ
選 舉 election

xuǎn
選 to elect; to select

hòu xuǎn rén
候 選 人 candidate

xuǎn piào
選 票 ballot

míng tiān shì xuǎn2 jǔ　rì　　wǒ men yào jì de tóu piào wo
：明 天 是 選 舉 日， 我 們 要 記 得 投 票 喔！

dāng rán huì　　yīn wèi míng ming shì xué shēng huì dài biǎo de hòu xuǎn rén
：當 然 會！因 為 明 明 是 學 生 會 代 表 的 候 選 人

duì a　　wǒ men dōu huì xuǎn tā
：對 啊！ 我 們 都 會 選 她。

wǒ2 xiǎng tā huì dé dào hěn duō xuǎn piào
：我 想 她 會 得 到 很 多 選 票。

yí mín
移 民 immigration; immigant; to emigrate

wǒ yé ye shì cóng zhōng guó yí mín lai měi guó de
：我 爺 爺 是 從 中 國 移 民 來 美 國 的。

wǒ bà ba shì cóng fǎ guó yí mín lai měi guó de
：我 爸 爸 是 從 法 國 移 民 來 美 國 的。

90

yuè　　yuè
越 … 越　　more and more

1. 弟弟越來越用功，他的功課也越來越好。
（dì di yuè lái yuè yòng gōng, tā de gōng kè yě yuè lái yuè hǎo）

2. 雨越下越大，我們快回家吧！
（yǔ yuè xià yuè dà, wǒ men kuài huí jiā ba）

liàng cí
量詞　　measure words

：你們知道什麼是量詞嗎？
（nǐ men zhī dao shén me shì liàng cí ma）

：量詞就是單位詞。
（liàng cí jiù shì dān wèi cí）

：比如說個、件、朵等等，都是量詞。
（bǐ rú shuō ge jiàn duǒ děng děng dōu shì liàng cí）

：隻、本、張、首也是量詞。
（zhī běn zhāng shǒu yě shì liàng cí）

liú
留　　to hand down

1. 這些印地安文物都是他們祖先留下來的。
（zhè xiē yìn dì ān wén wù dōu shì tā men zǔ xiān liú xia lai de）

2. 這張山水畫是我太爺爺留給我們的。
（zhè zhāng shān shuǐ huà shì wǒ tài yé ye liú gěi wǒ men de）

liú
留　　to save…..for

：哥哥八點鐘才回來，給他留些菜吧！
（gē ge bā diǎn zhōng cái huí lai, gěi tā liú xiē cài ba）

：我已經給他留了一盤菜和一碗湯。
（wǒ yǐ jīng gěi tā liú le yì pán cài hé yì wǎn tāng）

91

第九課　說故事：西（xī）雅（yǎ）圖（tú）酋（qiú）長（zhǎng）的（de）話（huà）

歷（lì）史（shǐ）學（xué）家（jiā）說（shuō），遠（yuǎn）在（zài）一（yí）萬（wàn）五（wǔ）千（qiān）年（nián）前（qián），印（yìn）地（dì）安（ān）人（rén）就（jiù）來（lái）到（dào）了（le）美（měi）洲（zhōu）。他（tā）們（men）和（hé）自（zì）然（rán）打（dǎ）成（chéng）一（yí）片（piàn），快（kuài）樂（lè）地（de）生（shēng）活（huó）著（zhe）。

1495 年（nián），歐（ōu）洲（zhōu）人（rén）開（kāi）始（shǐ）移（yí）民（mín）來（lái）美（měi）洲（zhōu），他（tā）們（men）帶（dài）來（lái）了（le）科（kē）學（xué）文（wén）明（míng），也（yě）帶（dài）來（lái）了（le）武（wǔ）器（qì）和（hé）污（wū）染（rǎn）。他（tā）們（men）把（bǎ）印（yìn）地（dì）安（ān）人（rén）從（cóng）東（dōng）部（bù）趕（gǎn）到（dào）西（xī）部（bù）。

1776 年（nián）美（měi）國（guó）獨（dú）立（lì）戰（zhàn）爭（zhēng）之（zhī）後（hòu），歐（ōu）洲（zhōu）移（yí）民（mín）越（yuè）來（lái）越（yuè）多（duō），軍（jūn）隊（duì）幫（bāng）助（zhù）移（yí）民（mín）向（xiàng）西（xī）部（bù）發（fā）展（zhǎn）。軍（jūn）隊（duì）一（yí）到（dào），印（yìn）地（dì）安（ān）人（rén）就（jiù）得（děi）趕（gǎn）快（kuài）逃（táo）走（zǒu）。

4.

西北部的印地安人已經退到了海邊。1854年政府要向他們收買這片廣大的土地，並且要他們搬到保留區去住。

5.

西雅圖酋長很難過。他對政府官員說：「天空能買賣嗎？大地的溫情能買賣嗎？世界不只是人類的。……

6.

大地是生養萬物的母親。我們印地安人，教育我們的孩子要愛惜萬物；愛大地就像愛自己的母親。……

7

愛山川就像愛自己的兄弟姐妹。我們印地安人相信：山河大地是神聖的，因為，土地之下有我們世世代代的祖先。…

8.

請答應我，也要這樣教你們的孩子。在你們取得這片土地之後，教他們如何愛惜它，千萬不要任意破壞它。」

9

後人為了紀念西雅圖酋長，就把城市命名為西雅圖。現在市中心有一座他的雕像，他的手心向下伸向天空。

攝影：張娟熹

94

10.

他好像在說：「請愛惜地球，愛惜生命。愛惜天空、河川、樹木、花草、動物。一杯水、一口食物、一張紙都要愛惜。」

11.

2003年，印地安博物館建成。博物館正好面對著美國國會。在這個民主國家，知識和選票就是力量。

問題與討論：

1. 印地安人在美洲有多久的歷史了？
2. 歐洲人移民到美國，是怎麼把印地安人趕到西部的？
3. 西雅圖在美國的什麼地方？它的名字是怎麼來的？
4. 我們應該怎麼愛惜大自然？
5. 為什麼說「知識和選票就是力量」？

作者註：節錄並組合西雅圖酋長的話，然後意譯。

The speech Chief Seattle recited during treaty negotiations in 1854 is regarded as one of the greatest statements ever made concerning the relationship between a people and the earth.

課文　孫悟空打妖怪
sūn wù kōng dǎ yāo guài

中中：明天同樂會，我們來表演數來寶吧！

友友：好啊，我們趕快練習吧！

中中：我們輪流念，由你先開始！

友友：唐僧騎馬咚那個咚，後面跟著個
孫悟空。

中中：孫悟空，跑得快，後面跟著個
豬八戒。

友友：豬八戒，鼻子長，後面跟著個
沙和尚。

中中：沙和尚，走得慢，後面跟著個
老妖怪。

（註：改編自：孫悟空打妖怪 作者 樊家信〈甜嘴吧娃娃〉吳潔敏、蔣應武主編）

孫悟空：Sun Wu-Kong	妖怪：monsters and goblins	同樂會：party	表演：to perform
趕快：to hurry; to rush	由…開始：to start from…	輪流：to take turn	唐僧：Tang-Seng
騎馬：to ride a horse	豬八戒：Zhu Ba-Jie	鼻子：nose	沙和尚：Sa He-Shang
慢：slow; slowly	眼睛：eyes	金箍棒：the golden rod	

96

友友：孫悟空，打妖怪，高高舉起了金箍棒，

中中：金箍棒，有力量，妖魔鬼怪消滅光呀，消滅光！

友友：明明和青青，我們表演得怎麼樣？

中中：提點兒意見吧？這樣我們才會進步！

明明：我們的意見不一定好。

中中：別客氣！盡量說！

明明：我覺得你們需要加一些動作和表情。

青青：我同意。除了這些需要改進以外，其他都很好。

中中：謝謝妳們！

問題討論：

1. 你最喜歡什麼才藝表演？
2. 中中和友友在哪方面需要改進？
3. 數來寶要用響板打拍子。很好玩兒，試試看！

妖魔鬼怪：monsters and goblins	消滅：to destroy; wipe out	
提意見：to give opinions	進步：to advance; progress	盡量：as much as possible
需要：to need	動作：action; gesture	表情：facial expression
同意：to agree	除了…以外：except…	改進：to improve

生字、詞語：

yǎn 演 ㄢ：表 ㄅㄧㄠ2 演 ㄧㄢ 、演 ㄧㄢ 奏 ㄗㄡ 會 ㄏㄨㄟ		qí 騎 ㄑ：騎 ㄑㄧ 馬 ㄇㄚ
gǎn 趕 ㄍㄢ：趕 ㄍㄢ 快 ㄎㄨㄞ 、趕 ㄍㄢ 上 ㄕㄤ		màn 慢 ㄇㄢ：很 ㄏㄣ 慢 ㄇㄢ 、慢 ㄇㄢ 跑 ㄆㄠ
yóu 由 ㄧㄡ：理 ㄌㄧ 由 ㄧㄡ 、自 ㄗ 由 ㄧㄡ		yāo 妖 ㄧㄠ：妖 ㄧㄠ 怪 ㄍㄨㄞ
lún 輪 ㄌㄨㄣ：輪 ㄌㄨㄣ 流 ㄌㄧㄡ 、輪 ㄌㄨㄣ 子 ㄗ		guǐ 鬼 ㄍㄨㄟ：鬼 ㄍㄨㄟ 怪 ㄍㄨㄞ

句子練習：

yǎn
演 ㄧㄢ　play, perform

zhè cì tóng lè huì nǐ yào biǎo2 yǎn shén me jié mù
：這 ㄓㄜ 次 ㄘ 同 ㄊㄨㄥ 樂 ㄌㄜ 會 ㄏㄨㄟ 妳 ㄋㄧ 要 ㄧㄠ 表 ㄅㄧㄠ 演 ㄧㄢ 什 ㄕㄣ 麼 ㄇㄜ 節 ㄐㄧㄝ 目 ㄇㄨ？

wǒ yào biǎo2 yǎn yìn dì ān rén tiào wǔ wǒ2 yǎn gōng zhǔ
：我 ㄨㄛ 要 ㄧㄠ 表 ㄅㄧㄠ 演 ㄧㄢ 印 ㄧㄣ 地 ㄉㄧ 安 ㄢ 人 ㄖㄣ 跳 ㄊㄧㄠ 舞 ㄨ，我 ㄨㄛ 演 ㄧㄢ 公 ㄍㄨㄥ 主 ㄓㄨ。

gǎn kuài
趕 ㄍㄢ 快 ㄎㄨㄞ　hurry; quickly

gǎn kuài hái yǒu shí fēn zhōng xiào chē jiù yào kāi le
：趕 ㄍㄢ 快 ㄎㄨㄞ！還 ㄏㄞ 有 ㄧㄡ 十 ㄕ 分 ㄈㄣ 鐘 ㄓㄨㄥ，校 ㄒㄧㄠ 車 ㄔㄜ 就 ㄐㄧㄡ 要 ㄧㄠ 開 ㄎㄞ 了 ㄌㄜ。

nǐ2 gǎn kuài qù wǒ2 mǎ shàng jiù lái
：你 ㄋㄧ 趕 ㄍㄢ 快 ㄎㄨㄞ 去 ㄑㄩ，我 ㄨㄛ 馬 ㄇㄚ 上 ㄕㄤ 就 ㄐㄧㄡ 來 ㄌㄞ。

98

gǎn
趕 catch up

zuó tiān nǐ gǎn shàng xiào chē le ma
：昨天妳趕上校車了嗎？

gǎn shàng le xiào chē gāng yào kāi wǒ jiù gǎn dào le
：趕上了，校車剛要開，我就趕到了。

gǎn gǎn chū qù
趕 to drive; 趕出去 to drive away

xiǎo2 xiǎo gǎn zhe shí tóu lǘ zài lù shang zǒu
1. 小小趕著十頭驢在路上走。

cāng yíng fēi jìn lai le kuài bǎ tā gǎn chū qù ba
2. 蒼蠅飛進來了，快把牠趕出去吧。

yóu
由 up to; by

lǎo shī zhè cì de zuò wén yào xiě shén me
：老師，這次的作文要寫什麼？

xiě yí ge xiǎo gù shi tí mù yóu nǐ men zì jǐ jué dìng
：寫一個小故事。題目由你們自己決定。

lún
輪 to take turns

míng tiān lún dào shéi shàng tái zuò bào gào
：明天輪到誰上台做報告？

míng tiān lún dào wǒ hé zhōng zhong
：明天輪到我和中中。

99

生字、詞語：

消 xiāo：消滅 xiāo miè 、消息 xiāo xi		除 chú：除了 chú le 、除法 chú fǎ
提 tí：提意見 tí yì jiàn 、提醒 tí xǐng		需 xū：需要 xū yào
步 bù：進步 jìn bù 、退步 tuì bù		情 qíng：表情 biǎo qíng 、友情 yǒu qíng
盡 jìn：盡量 jìn liàng 、盡力 jìn lì		改 gǎi：改進 gǎi jìn 、改錯 gǎi cuò

句子練習：

消息 xiāo xi　message

：青青 qīng qing ，我聽到一個消息 wǒ tīng dào yí ge xiāo xi ，學校要開 xué xiào yào kāi
中文課了 zhōng wén kè le 。

：真的嗎 zhēn de ma ？這真是一個好消息 zhè zhēn shì yí ge hǎo xiāo xi 。

除了…以外 chú le … yǐ wài　except

：妳每天都拉小提琴嗎 nǐ2 měi tiān dōu lā xiǎo tí qín ma ？

：除了星期天以外 chú le xīng qī tiān yǐ wài ，我每天都拉琴 wǒ2 měi tiān dōu lā qín 。
妳呢 nǐ ne ？

：除了星期六以外 chú le xīng qī liù yǐ wài ，我每天都彈鋼琴 wǒ2 měi tiān dōu tán gāng qín 。

100

tí   xǐng

提醒   to remind

xià wǔ yǒu yóu yǒng kè　　bié wàng le dài wā jìng
：下午有游泳課， 別忘了帶蛙鏡。

xiè xie mā ma tí xǐng wǒ
：謝謝媽媽提醒我。

xū   yào

需要   need

nǐ gōng zuò le yì tiān　　xū yào hāo hāo xiū xi
：你工作了一天， 需要好好休息。

wǒ zuò de tài jiǔ le　　xū yào yùn dòng　yùn dòng
：我坐得太久了， 需要運動、 運動。

chú fǎ　　　　chú

除法   division　除   divide

ràng wǒ kǎo2 nǐ yì tí chú fǎ
：讓我考你一題除法：

wǔ chú yǐ èr děng yú duō shao
五除以二等於多少？　　（5 ÷ 2 = ？）

wǔ chú yǐ èr děng yú èr diǎn2 wǔ
：五除以二等於二點五。　（5 ÷ 2 = 2.5）

101

第十課 說故事：西遊記之四——唐僧取經

古時候中國沒有佛經。

唐僧想去印度請一套

佛經回來。觀音菩薩對他

說：「這一件事不容易，

但是，你會成功的」

於是唐僧出發了。有一

天，他騎馬經過五行山，

忽然洞口有個猴子叫道

：「師父！我在這兒已經

等了五百年了！…

我叫孫悟空，我要跟您

去印度取經。請您把

山頂上的封條撕掉，

救我出來吧！」於是唐僧

把孫悟空救了出來。

4. 孫悟空說：「師父，謝謝您救我，我很勇敢，也很有本事，不論您走到哪兒，我都能保護您。」

唐僧說：「那我們走吧！」

5. 有一天，他們正要過河，忽然，水裡鑽出一條白龍，一口就把白馬吞進肚子裡，孫悟空很生氣，拿起金箍棒就打。

6. 唐僧說：「不要傷牠。我們要去印度取經，快趕路吧，今晚要趕到莊園。」

白龍聽了就說：「師父，我想跟您一起去！」

103

7. 這時，觀音菩薩來了，她對白龍吹了一口氣，白龍就變成一匹跑得很快的白馬。所以一天還沒黑，他們就趕到了莊園。

8. 莊園的主人說：「師父，我的女婿一到晚上就變成妖怪。我不敢留您住在這兒。」孫悟空說：「不用怕！我老孫有辦法。」

9. 孫悟空搖身一變，變成主人的女兒。到了晚上，果然有個妖怪走進來。他剛靠近床邊，孫悟空就變回原來的樣子。

10. 孫悟空一把抓住他。

妖怪說：「唉！你不是

齊天大聖嗎？我是天上的

大將軍啊！我做了錯事，

才變成這個樣子！……

11. 我願意改過。請您幫幫

忙！讓師父收留我，帶我

一起走吧！」唐僧知道了，

就答應了他的要求，並且

給他取名叫「八戒」。

12. 有一天，他們來到了

流沙河。孫悟空說：

「這裡河水流得很急，

除了飛過去以外，沒有

別的辦法。」忽然，……

105

13.

河裡鑽出一個妖怪。豬八
戒和孫悟空輪流和妖怪
打仗，打了兩天兩夜。
後來，觀音菩薩趕來了。
她說：「不要打了！

14.

他叫沙和尚，其實，
他也想去印度取經。」
於是，唐僧收留了他。
唐僧很高興，因為，
這三個徒弟都很有本事。

15.

他們從絲路出發了。雖然
一路上遇到許多危險，
但是由於三個徒弟盡心
盡力地保護師父，最後
取了佛經，平安回到中國。

106

Translation

Lesson 1: Which Languages to Learn

At dinner time, Qing-Qing said Maria was very unhappy because her parents wanted her to speak Spanish at home. Maria felt that it was enough just to speak English.

"Maria is wrong. English, Chinese and Spanish are the three major languages in the world. It will be very easy to advance in any field, if one acquires these three languages. It is really a pity that Maria does not treasure this opportunity!" commented Dad.

Qing-Qing knows the importance of learning Chinese, so she always speaks Chinese at home. Besides, she often watches Chinese movies and children's programs. She pays a lot of attention to pronunciation, so she speaks Chinese very well.

Every Saturday, Qing-Qing goes to Chinese school. Some children feel going to school on a weekend is a bad deal, but Qing-Qing does not think so. She thinks it is a lot of fun learning Chinese with good friends. Qing-Qing is really smart.

Classroom Discussion
1. Why do you think Maria does not like to speak Spanish?
2. Which are the three major languages in the world?
3. What do you think are the benefits of learning Chinese?

Story 1: May I Ask You?

1. Saturday afternoon, Qing-Qing's family went to see a movie together. The movie was called: "My Father, Mother (Coming Home)".
2. After the movie was over, Qing-Qing asked with curiosity, "Mom! How did you get to know Dad?"
3. Mom smiled, "We got to know each other at college. When we first met, we made a fool of ourselves!" "How so?" asked Qing-Qing.

4. Dad replied, "On the first day of school, I could not find the room to the Chinese class and saw your Mom walking towards me, so I said to her in Chinese, "May I ask you …,"

5. Before I even finished, your Mom turned all red and immediately turned around and left. At that moment, I thought this coed was rather odd! …

6. Later I discovered that I had pronounced "請問" (May I ask) as "親吻" (to kiss). Your Mom thought I had said, 'I want to kiss you', so she was scared away."

7. "What a pity I didn't see it!" said Qing-Qing, laughing and laughing all the while! Dad said, "Enough! Stop laughing! Everyone on the street is watching you!"

8. Dad went on, "After two weeks I ran into your Mom again. I promptly apologized to her, and then she understood it had been a misunderstanding the other day."

9. Mom said, "Qing-Qing, you must pay attention to pronunciation!   Regardless of the language, it is much easier for children to learn the correct pronunciation than adults."

10. Qing-Qing replied, "I will pay attention to that. Besides, I love to watch children's programs in Spanish. I don't think Spanish is that difficult. I want to learn it very much."

11. Dad said, "Wonderful! If you can master Chinese, English and Spanish, you will definitely be able to advance in many areas."

Classroom Discussion:

1. Where did Qing-Qing's parents get acquainted?
2. Why did Qing-Qing's mother not answer her Dad's question?
3. Which three languages should one learn in order to have good future prospect?
4. Why is it easier for children to learn a language than for adults?
5. What kind of situations have you gotten into that made a fool of yourself?

Lesson 2: The Frog at the Bottom of the Well

One day, You-You's grandpa was chatting to a friend on the phone. You-You overheard Grandpa say, " …, staying at home all day long and doing nothing, if he doesn't even read newspaper or watch TV, then he will soon become 'a frog at the bottom of the well'." After Grandpa hung up the phone, You-You asked him what "a frog at the bottom of the well" was.

Grandpa said, "Let me tell you a story. Once upon a time, a frog lived at the bottom of a well. He thought the opening of the well was the heaven and the bottom of the well was the earth. Therefore, he knew everything there was to know between heaven and earth, and he was very complacent. One day, someone came to fetch water and brought the frog up. He jumped out and took one look, then realized that the world was so big!"

"You mean, when a person knows very little yet he is very conceited, he is called 'a frog at the bottom of a well', is that right?" asked You-You. "Absolutely! In fact, as long as anyone is willing to apply themselves learning and watching news everyday, they will never become a frog at the bottom of a well."

Classroom Discussion:
1. Why was the frog so conceited when he lived at the bottom of the well?
2. What is meant by "a frog at the bottom of a well?"
3. Are you a frog at the bottom of a well? Why or why not?

Story 2: Making Stories
1. During class, You-You shared the story of "the frog at the bottom of a well" with everyone. "What happened after the frog jumped out?" asked Zhong-Zhong. "Eh! I don't know." replied You-You.
2. "Let us use the Chinese idiom story to play a game of 接龍 (making stories)! Everyone makes up one piece and so on. Who wants to start?" said the teacher with a smile. "Allow me!" offered Qing-Qing.
3. She said, "After the frog jumped out, he saw that the world was so big and got very excited! It just so happened that a magical bird dropped down to have a drink."
4. Ming-Ming said, "He sat on the back of the magical bird and they flew into the sky. He saw the Statue of Liberty, the Pyramid, the Great Wall, the Golden Gate Bridge …. and learned a great deal from his travels."
5. "Later, he hopped into a restaurant. As soon as he entered, he overheard someone wanted to eat 'stewed frogs'. He was so scared he hurried back to the bottom of the well." continued Da-Zhong Wang.
6. "One day, he jumped into a park and saw many birds and frogs by the pond. He was so pleased that he decided to settle down!" Yun Li went on.
7. "All day long he ate and drank with everyone, having a grand old time. Before long, his entire body was covered with chicken pox, and the doctor said he got a mysterious disease." said Ming-Shi.
8. "He could only return to the bottom of the well. After he recovered, he turned into a near-sighted toad. Consequently, he didn't want to come out to meet anyone." said Zhong-Zhong.
9. "Everyday, he sat at the bottom of the well and looked at the sky, being very bored. One day, a little bird came to chat with him and brought along a newspaper.

10. All of sudden he realized: ...." said Xin-Min. "It doesn't matter being a toad, as long as he was not a toad that did not want to strive. To learn more, he came back out again." said Qing-Qing.

11. Everyone listened to the story while laughing. The class was over, and the teacher said, "You did a great job, and who is going to write it down?" Everyone replied, "Teacher!"

Classroom Discussion:

1. How do you play "making stories?" Have you ever played it?
2. How did the frog turn into a toad?
3. Why did the toad first not want to come out to meet anyone but later figure it out?
4. Who wrote down the story at the end?
5. What other meaning does 〈坐井觀天〉 (watching the sky sitting at the bottom of a well) have?

Lesson 3: Halloween

Mom: Halloween is almost here. Will there be a parade at school?

Ming-Ming: Yes. That's right! We can wear Halloween costumes to class!

Mom: Who are you going to dress up as?

Ming-Ming: I haven't figured out yet. Paul said he has a terrifying mask and wants to scare us.

Mom: You won't be frightened though, right?

Ming-Ming: Of course not! We have celebrated Halloween every year and I have seen all the witches, ghosts and goblins. I won't be scared by any creatures (見怪不怪 means "accustomed to the unusual").

Mom: That's fine!

Ming-Ming: Mom, why is Halloween called "All Hallows Day"?

Mom: Halloween means "All hallows eve", or the even of "All Hallows or Saints Day". For the sake of commemorating the saints, one should do more good.

Ming-Ming: Is that so! Then I will be an angel! On the All Hallows Day, I will raise funds for poor and sick children.

Mom: How about your costume?

Ming-Ming: That's easy. I can make it out of facial tissues, white cloths and bed sheets.

Mom: Excellent idea!

Classroom Discussion

1. What activities are there at school at Halloween?

2. Why is Ming-Ming not scared by any creatures at Halloween?

3. Why does Ming-Ming want to dress up as an angel?

Story 3: I Made it Myself

1. It would soon be Halloween. Zhong-Zhong said, "Mom, I want to dress up as (the Monkey King) Sun Wu-Kong this year, and I have figured out my costume and props which won't cost any money."

2. Zhong-Zhong dug out a yellow long-sleeve shirt, a pair of red long johns, and rain boots. He borrowed a scarf from his Mom. As such, the main costume pieces are all set.

3. Mom laid her hands on a piece of orange cloth, onto which Zhong-Zhong pasted black dots. Now even the leopard-fur skirt is also all set.

4. Then he took out some paper to make his props, which took just a little while to finish. On Halloween, Zhong-Zhong wore the costume he made to school.

5. The teacher dressed up as a cartoon cat that day. She said, "Meow! Meow! Who wants to come up here to tell us about Halloween?" Wearing a ferocious mask, Paul got on the stage.

6. He said, "I am a good guy." Everyone burst out laughing. Paul continued, "In ancient times, October 31st was the New Year's Eve for the Europeans. …

7. People believed ghosts would come out at that night. To scare away the ghosts, they wore ferocious masks, held torches and walked on the streets to-and-fro. …

8. When they were hungry, they begged for food from people on the roadside." "So that's how 'trick or treat' came about, right?"

9. The teacher said, "There are many more different legends about the origin of 'trick or treat'. Nice job, Paul. Who else wants to come up to introduce your own custom?"

10. Zhong-Zhong went up the stage holding a Golden Rod. He said the Monkey King could transform into 72 different objects. He only needed to pull a hair off his body, blew on it, and he could turn out many Monkey Kings.

11. Everyone thought it was really fascinating. They said they also wanted to be Sun Wu Kong the following year. Zhong-Zhong thought it must be very amusing if there were Sun Wu Kong everywhere over the schoolyard.

Classroom Discussion

1. Who did Zhong-Zhong dress up as? Does his custome cost a lot?

2. How was the leopard skirt made?

3. Why did people wear ferocious masks on Halloween according to Paul?
4. What kind of skills does the Sun Wu Kong have?
5. What do you want to dress up as at this year's Halloween? How will you make your costume?

Lesson 4: Two Poems

As soon as teacher Zhang walked into the classroom, she placed a big bag of prizes on the desk and passed out two handouts to everyone. She said with a smile, "There are two Tang-dynasty poems and pictures. Within 30 minutes, whoever can explain the meaning of the poems will get a prize. Whoever can even recite them will get a big prize."

> **Reflection in a Quiet Night**, by Li Bai (Tang dynasty poet)
> The bright moonlight in front of my bed,
> I wonder it were frost on the ground.
> I lift my head to look at the moon afar,
> I lower my head to long for my homeland.

> **Not Able to Find a Hermit**, by Jia Dao (Tang dynasty poet)
> Asked a lad under a pine tree (where his master went),
> Said his master went to pick herbs.
>   (The master) could only be in this mountain,
> But the clouds were so thick (he) didn't know where.

The students yelled, "We don't recognize so many characters. It's is too hard!" Teacher Zhang said, "Whoever has a question may raise your hand. These two poems appear difficult, but they actually are not. As long as you compare them to the pictures and read them several times, you will understand their meaning."

As expected, it took less than 30 minutes to give away the entire bag of prizes.

Classroom Discussion

1. How does one win a prize?
2. Why do these two poems appear difficult but actually are not?
3. Can you also explain the meaning of these two poems by comparing them with the pictures?

Story 4: Prize! Prize!

1. Qing-Qing came home from school. As soon as she got in the door she yelled, "Dad! Mom! I am home!" Dad said, "Your Mom went to Chinatown shopping for groceries and should be back soon."

2. Raising the chocolate in her hand, she said, "Look! The prize I got." She took out the handouts to show to her Dad, and said, "I have already memorized them."

3. Dad said, "Um! Li Bai's poem. Li Bai especially liked moonlight. When he was young, he often held his mother's hand and strolled in the moonlight. Later, …

4. he moved away from home and lived elsewhere. One night, the moonlight came into the room and illuminated the ground in front of the bed white as frost. He stared at the moon and remembered his homeland. …

5. So he wrote this poem "Reflection in a Quit Night: 床前明月光，疑是地上霜。舉頭望明月，低頭思故鄉。" "Oh, that's how it came about!" said Qing-Qing.

6. Dad went on, "This poem by Jia Dao is even more vivid. One day, he went into the mountain to find a friend and saw a child playing underneath a pine tree. …

7. He asked, 'Where is your master?' The lad said, 'My master went to pick herbs.' He asked again, 'Where to?' The lad said, 'Right in this mountain.' …

8. He asked again, 'How do I find him?' The lad replied, 'There are lots of clouds and fog in the mountain, I don't know where he is!' …

9. He later described the scene and the conversation in this poem: 松下問童子，言師採藥去。只在此山中，雲深不知處。"

10. Qing-Qing said, "This is not hard! Let me also try: I asked my Dad after entering the house; Dad said Mom went grocery shopping. She could only be in Chinatown, except there are so many people we don't know where."

11. Dad said, "Prize! Prize! What do you want?" Qing-Qing said, "A cell phone." Dad replied, "No problem! No matter where Mom is from now on, you can always find her."

Classroom Discussion

1. Where did Qing-Qing's Mom go? What was she doing?
2. What did Qing-Qing get as a prize? Why did she get it?
3. Why didn't the lad know where his master was?
4. Why did Qing-Qing want her Dad to give her a cell phone as present?
5. Try to draw a picture for this poem: The sun is setting into the mountain, as the Yellow River flows into the ocean. If one wants to see farther away, one must ascend another story.

Lesson 5: What Gift to Give?

Ming-Ming: Have you figured out what to give your parents for Christmas?

Qing-Qing: I plan to give them an album of paintings. How about you?

Ming-Ming: I plan to give them each a gift certificate.

Qing-Qing: Are they super market gift certificates?

Ming-Ming: No, I made the gift certificates myself.

Qing-Qing: How do you make gift certificates yourself? Isn't that counterfeiting?

Ming-Ming: No. I made a car-wash certificate for my Dad, to help him wash his car.

Qing-Qing: That's interesting. So what are you giving your Mom?

Ming-Ming: Mom often has back ache. I plan to give her a massage certificate.

Qing-Qing: You are really nice to your parents (being filial). What do you use to make gift certificates?

Ming-Ming: I use the paper I made myself, to make it really special.

Qing-Qing: You know how to make paper?

Ming-Ming: Last week, our Arts and Crafts teacher taught us.

Qing-Qing: What do you use to make paper?

Ming-Ming: We used rags, waste paper and some other things.

Qing-Qing: That sounds like fun! I also want to learn if I get a chance.

Ming-Ming Company Gift Certificate Car Wash Every Sunday PM Effective Period: One Year (Expired after valid period)	Ming-Ming Company Gift Certificate Massage Everyday after supper Effective Period: Until health is restored

Classroom Discussion

1. What present do you want the most for Christmas? Why?

2. What do you plan to give as Christmas presents for your parents and your family members?

3. Why does one give presents? What do presents represent?

Story 5: Paper Making by Cai Lun

1. In antiquity, the Chinese recorded important events on tortoise shells and animal bones, and this was very inconvenient. Later, ...

2. The Chinese also strung bamboo slices into a row, which is called "to make a volume". The Chinese character "冊" (volume) is a hieroglyph of two bamboo

pieces strung together.

3. People wrote on the 冊. To write a book required many 冊. To transport books, therefore, they needed to prepare a whole carriage.

4. Until 100 AD, a civil official named Cai Lun put tree bark, rags, torn fishing nets, and silk batting into a pot, added water and boiled them into pulp.

5. He then poured the pulp over fine bamboo mesh, roasted it dry, and turned it into a piece of paper. The invention of paper accelerated the progress of Chinese civilization.

6. Not only used for writing and painting, paper could also be used for making cartons, pasting over windows, and wrapping things, etc. Paper became an essential article for daily use.

7. It wasn't until six hundred years later, Chinese paper-making technology was spread to Europe through Middle Eastern countries (by the Silk Road). Nowadays, there are countless paper products.

8. For example: newspaper, books, notebooks, photographs, business cards, cards, gift certificates, facial tissue, cardboard boxes, paper bags, gift wraps, toilet paper, etc.

9. However, a single 20-year-old pine tree can only make over 10 packages of white paper. Therefore, the more we use paper, the fewer trees there are on earth.

10. To produce high-quality paper, paper companies often use a large quantity of chemicals, which can cause pollution on earth.

11. How do we take good care of the earth? The easiest and most effective way is to help recycle paper, because recycled paper can be re-used to make paper.

Classroom Discussion
1. Before the invention of paper, how did mankind write and read?
2. What materials did Cai Lun use to make paper?
3. How did paper spread to Europe?
4. What kind of inconvenience will we have without paper?
5. Why is it harmful to the earth if we make lots of paper?

Lesson 6: How to Eat Healthfully

This afternoon, Qing-Qing accompanied her Mom to buy groceries at a supermarket. They first went to the vegetable department. Qing-Qing said, "Mom! Eating lots of vegetables is good for health, let's buy several varieties?" Mom said, "OK! Look, Chinese cabbage just came on the market, let's get two bundles."

They went to the meat department to buy beef, spare ribs and fish. Qing-Qing said, "Mom! Let's have stewed beef, stir-fried fish slices and spare-rib soup tomorrow, OK?" Mom said, "Certainly!"

Mom said, "It's getting late. I will fetch milk, and you will get a box of raisins at the snacks section, then two loaves of bread, and I will wait for you at the fruit section."

When waiting in line to pay, seeing the food inside the shopping cart Qing-Qing murmured to herself, "Eating like this is very healthy." and took out the wallet. The attendant (cashier) joked, "Wow! Do you manage the household?" Qing-Qing replied, "Not really, I am only helping my Mom manage grocery money." Mom said, "She is a wonderful helper to me."

Classroom Discussion
1. What departments are there in a supermarket?
2. What dishes did Qing-Qing want her mother to cook?
3. What kind of snacks do you like? Are they good for your health?

Story 6: The Food Pyramid
1. At dinner time, Dad saw a dinner table full of dishes and said, "It's Chinese New Year!" Grandpa said, "It's still early! Today is the 8th day of the twelfth month in the Chinese calendar (called "La Ba" festival), a holiday to commemorate the Buddha and to eat 'La Ba Porridge'."
2. Mom said, "There are white rice, red rice, millet, black beans, red beans, peanuts, jujube (a Chinese date), and raisins in our 'La Ba Porridge' today." You-You said, "How wonderful!"
3. You-You went back to his room and took out a handout. He pointed the food on the table and said, "Stirred fried greens is a vegetable, stewed spare ribs is a meat, stirred fried noodles is …"
4. Grandpa asked, "You-You, what is that?" You-You said, "The food pyramid. My teacher said we should eat according to the pyramid every day, so that we stay healthy. …
5. There are six categories on the pyramid: grains (carbohydrates), vegetables, fruits, fish, meat and legumes, dairy, as well as fats, sugar and salt. …
6. The yellow section represents fats, sugar and salt. The yellow section is very small, our teacher said, so we can not eat a lot in this category. Otherwise it will be harmful to our health."
7. Grandpa said, "What the teacher said makes a lot of sense. Fats are animal fat and vegetable oil. Butter and fats are both animal fat, which we do best not to

116

eat. …

8. Food companies add fats, sugar and salt to snacks. Before you eat snacks, therefore, you must pay particular attention to the instructions on the packaging."

9. Mom said, "You-You, you will manage what snacks to buy from now on, how about it?" You-You said, "OK! I will check the ingredients first."

10. Mom carried out a large bowl of "La Ba Porridge" to serve everyone. You-You said, "Wow! That smells great! There are grains, legume, and dried fruit in there. Super!"

11. Mom said, "Eat up! After dinner, go for a walk with Grandpa. To have good health, it is not enough just to eat well, exercise is also very important."

Classroom Discussion

1. What ingredients are in "La Ba Porridge"?
2. In the food pyramid, what are on the very top and on the very bottom?
3. What is the use of the food pyramid?
4. Why shouldn't we eat too much snacks?
5. What should we do to stay healthy?

Lesson 7: A Short-Term Sports Camp

Teacher: During spring break, the school will hold a short-term sports camp. We welcome all interested students to participate. Here are the registration forms!

Zhong-Zhong: Teacher! You-You and I participated in the sports camps sponsored by the city government.

Teacher: Why don't tell us about it?

Zhong-Zhong: The benefits of participating in this activity are to learn all kinds of ball sports.

You-You: On Monday we played basketball. The coach first explained the rules of the game, then we practiced shooting, passing, catching, and dribbling. In the end, we were divided into two teams to compete.

Zhong-Zhong: We played volley ball, soccer, and tennis, respectively, on Tuesday, Wednesday, and Thursday.

You-You: We played baseball on Friday. During the game, Zhong-Zhong even hit a home run!

Zhong-Zhong: After the sports camp, I found out that I liked baseball the best.

You-You: I thought tennis was the most fun, so I decided to concentrate on tennis.

Teacher: Zhong-Zhong, You-You, you have given a great description. Thank you!

Classroom Discussion

1. What are the benefits for participating in sports camps?
2. What kinds of moves are needed to play basketball?
3. What are your favorite sports? Why?

Story 7: Oriental Baseball Team

1. On Saturday, Coach Li held a welcoming party at home to welcome this year's new players. Coach Li's living room wall is covered with photographs of baseball teams.

2. He pointed to one of them and said, "This was the 1875 Oriental Baseball Team from Connecticut. Everyone sat down with curiosity to listen to him tell the story.

3. He said, "From 1872 to 1875, the Chinese government decided to send 30 young children to study abroad in the United States. They were all boys, with an average age of twelve years. …

4. They departed from Shanghai, China, and sailed for 30 days over the Pacific ocean to arrive at San Francisco of the United States. They then took a train to the city of Hartford, Connecticut. …

5. The local Americans took the boys home to live with them. Before long, they were assimilated with their American classmates.

6. They applied themselves very hard at their studies, so they had excellent grades. They often learned Chinese and played balls together, and their favorite was baseball.

7. At the time, American ball sports included soccer, tennis and baseball. Soccer and tennis came from Europe, and only baseball originated in the U.S. …

8. Later on, they formed the "Oriental Baseball Team" and often engaged in competitions. Back then, basketball, volleyball and football had not even been invented. …

9. Years later, they got into famous universities such as Yale and Harvard to pursue their studies. President Grant received them. In 1881, the Chinese government all of a sudden summoned them back home. …

10. Before they left for China, they held a baseball game against the California Oakland team. They ended up with a huge win. The skill of the pitcher especially caught the Americans by surprise. …

11. Therefore in history, "Oriental Baseball Team" was not only the first baseball team made up of Chinese in the U.S., but also the first Asian baseball team."

Classroom Discussion

1. Are coaches and teachers different? Why?
2. How did the "Chinese youths" go from China to Connecticut?
3. Who did the "Chinese youths" compete against before they returned to China? What was the result?
4. What was special about the Oriental Baseball team?
5. Are you willing to leave home to study broad? Why?

Lesson 8: Who is American Mu-Lan?

Ming-Ming: I went to see an animated movie "Mu-Lan" yesterday. It was very enjoyable.

Qing-Qing: Mu-Lan in the historical account was really brave. She fought a war for 12 years while disguising as a man.

Ming-Ming: Have you heard of Deborah Sampson?

Qing-Qing: She was like the first female veteran in the United States, wasn't she?

Ming-Ming: She first gave herself a male name, then disguised herself as a man to enroll in the army. After she was injured during battle, she was discovered by the doctor to be a female.

Qing-Qing: What happened next?

Ming-Ming: It wasn't until she recovered from the injuries, it was reported to her superiors. Later on General George Washington knew about it, he then decided to discharge her from military service.

Qing-Qing: Why didn't females have the freedom to become a soldier? That's really not fair.

Ming-Ming: Washington did not forget about this instance. After he became president, he asked the Congress to enact a law, to let Deborah also receive veteran's pension. By then, Deborah had married, living a very happy life.

Qing-Qing: Eh, although Deborah was not as great as Mu-Lan, she was still very extraordinary.

Classroom Discussion

1. Which animated films have you seen? Which one did you like the best?
2. Using your own words, please tell the story of Deborah Sampson.
3. Do you think females can become soldiers? Why?

Story 8: The Story of Mu-Lan

1. Over 1,400 years ago, there was a girl named Mu-Lan in northern China. She not only could ride a horse and shoot an arrow, she also learned martial arts.

2. At that time, the enemies in the north invaded China. So all the men needed to serve in the army. Although Mu-Lan's father was old, he was also drafted.

3. Mu-Lan was a good daughter (a filial daughter). She disguised herself as a man, went up to her parents, asking them to let her take her father's place to serve in the army. There was nothing her parents could do so they consented.

4. Mu-Lan got herself ready with a horse and all the accessories, and rushed to report to the army. She served with valor and strategy, and before long she was promoted to an army officer.

5. Once, just after the sun set, a flock of birds suddenly flew out of faraway woods. Mu-Lan figured out that the enemy would attack that night.

6. She immediately rushed back to the encampment to prepare. As expected, the enemy attacked during the night. Although she had fewer soldiers than the enemy, she battled them till they withdrew.

7. Mu-Lan spent 12 years in the army. She won countless battles and was also injured many times. She reclaimed a lot of lost land for the country. Later on …

8. After the country was stabilized, Mu-Lan indicated to the Emperor she did not want to serve as a government official but she only wanted to return to the village and serve her duty as a daughter to her parents. (孝順, a Confucian concept, means "to show filial obedience or devotion to one's parents".) The emperor rewarded her with some gold and silver and a strong horse (千里馬 is literally a horse that covers a thousand li, or miles, in a day).

9. Mu-Lan had several close comrades in arms, of whom General He-Ling and she got along the best. Now Mu-Lan was returning home, her comrades escorted her back together.

10. Her parents were very happy to see Mu-Lan safely home. When she changed herself into a woman and came out of her room, her comrades were greatly surprised, as they never expected General Mu-Lan was a woman!

11. Thereafter, the story of Mu-Lan Hua who served in the army on behalf of her father spread out (and down the generations which became a Chinese legend). Afterwards, Mu-Lan and He-Ling got married and lived ever happily after.

Classroom Discussion

1. Why did Mu-Lan want to serve in the army for her father?

2. What kind of soldier was she?

3. How did Mu-Lan know that the enemy would attack after she saw the birds flying from the woods?

4. Why didn't she want to be a government official? Did the emperor consent to her wishes?

5. How did her comrades in arms discover that she was a female?

Lesson 9: American Indian Museum

May 1st   Rain followed by Sun

We have been in Washington DC for three days. Yesterday we visited and toured the American History Museum, the Natural History Museum, and the Science Museum. Today we will visit and tour the newly built American Indian Museum. Mom said, "American Indians have always cherished nature and they regarded nature as sacred. American Indian culture is now more and more highly regarded, which is a really nice thing."

Just inside the gate of the American Indian Museum, which is located inside the National Concourse, there is a masked sculpture, a present from the Canadian government. On the second floor is a gift shop, and third and fourth floors are exhibit halls. Relics dating back 12,000 years from the American continents are kept here, all of which are left behind by their ancestors. Before European immigrants came to the Americans, American Indians were the owners of these lands.

There is a very prominent slogan on the third floor: "We are still here". I remember our teacher said, "American Indians increasingly realize that in this democratic country, knowledge and votes are power." I deeply wish them the best.

Classroom Discussion

1. In this diary, which museums did the author visit?
2. Why was the slogan "We are still here" in the museum?
3. What power do knowledge and votes have?

Story 9: The Words of Chief Seattle

1. According to historians, as far back as 15,000 years ago, American Indians settled in the American Continents. They were one with nature and lived happily off the land.

2. In 1495, Europeans began to immigrate to the Americas. They brought scientific civilization, weaponry and pollution. They drove American Indians from the east to the west coast.

3. After the U.S. War of Independence in 1776, were more and more European immigrants

came and with the help the army they advanced towards the west. As soon as the army arrived, the Indians immediately ran away.

4. The Indians in the Northwest retreated all the way to the coast. In 1887, the government wanted to buy this piece of vast land, and demanded that they moved to live on reservations.

5. Chief Seattle was very sad. He said to the government officials, "How can you buy and sell the sky? How can you buy and sell the tender love of the Earth? The world does not belong to man alone. ...

6. The earth is the mother of all living things. Therefore we Indians teach our children to love all beings; to love the earth as if it were their mother.

7. To love the mountains and rivers as if they were their own siblings. We Indians believe that rivers, mountains and the earth are all hallowed, for underneath the them are the ashes of our ancestors from generation to generation .....

8. Please promise me, after you get the land you shall also teach your children just as we always do. Teach them how to respect and cherish the earth and not destroy it indiscriminately.

9. To commemorate Chief Seattle, later generations named the city after him. There is a statue of him in the city center, with his arm reaching towards the sky and palm facing down.

10. It is as if he were saying, "Please cherish the earth and all life. Cherish the sky, rivers, trees, plants (flowers and grass), and the animals.... A glass of water, a bite of food, and a piece of paper must all be cherished.".

11. In 2003, The American Indian Museum was built. It happens to face the U.S. Congress. In this democratic country, knowledge and votes are power.

Classroom Discussion

1. How long have American Indians been on the American Continents?
2. How did the Europeans, after immigrating to the Americas, drive American Indians to the west?
3. Where is Seattle located in the U.S.? How did it get its name?
4. How should we cherish nature?
5. Why do we say "Knowledge and votes are power"?

Lesson 10: Sun Wu-Kong Battle the Monsters
Zhong-Zhong: At tomorrow's party, aren't we going to perform 數來寶 (a rhythmic chant)?

You-You: Yes, let's hurry up and practice!

Zhong-Zhong: Let's take turns, you start!

You-You: Tang-Seng is riding a horse, tong-tong-tong, behind follows that Sun Wu-Kong.

Zhong-Zhong: Sun Wu Kong, running fast, behind follows a Zhu Ba-Jie.

You-You: Zhu Ba-Jie, long nose, behind follows Sha He-Shan (Sha monk).

Zhong-Zhong: Sha He-Shan, walking slowly, behind follows an old monster.

You-You: Sun Wu-Kong, trying to hit the monster, raises his Golden Rod way high.

Zhong-Zhong: Golden Rod, so powerful, can obliterate all monsters and evil spirits! Obliterate!

You-You: Ming-Ming and Qing-Qing, how was our performance?

Zhong-Zhong: How about some comments? That's the only way we can improve!

Ming-Ming   Our opinions are not necessarily good.

Zhong-Zhong: Don't be too modest! Say as you wish!

Ming-Ming: I think you need to add some gestures and expressions.

Qing-Qing: I agree. Except these improvements, everything else was fine.

Zhong-Zhong: Thank you both.

(Note: Revised from "Sun Wu-Kong Battles Monsters, author Fan Jia-Xin; Rhythmic chant compiled by Wu Jie-Min and Jiang Ying-Wu)

Classroom Discussion

1. What are your favorite talent shows?

2. Where did Zhong-Zhong and You-You need to improve?

3. One needs to use clappers to create the beats when reciting a Rhythmic Chant (數來寶). It's a lot of fun, so try it!

Story 10: Journey to the West IV – Tang-Seng (Tang Buddhist Monk) Obtaining the Sutra

1. There was no Buddhist Scripture (or the Sutra) in ancient China. According to legend, Tang-Seng wanted to go to India to obtain the Sutra. Guan-Yin, the Buddha of Mercy, said, "Although this is not an easy task, you will eventually succeed."

2. So Tang-Seng set out for the road. One day, he rode past the Mountain of Five Columns on his horse, and suddenly at the entrance of a cave a monkey called out, "Master! I have been waiting here for five hundred years! … …

3. My name is Sun Wu-Kong. I am going to India with you to get the Sutra. Please tear off the seal on the top of the mountain and rescue me out of here!" So Tang-Seng saved Sun

123

Wu-Kong.

4. Sun Wu-Kong said, "Master, thank you for saving me. I am very brave and powerful, and can protect you no matter where you go." Tang-Seng said, "Then let's go!"

5. One day, when they were just ready to cross a river, a white dragon suddenly emerged from the water and swallowed the white horse whole into his belly. Sun Wu-Kong was very angry, and raised his Golden Rod ready to strike the white dragon.

6. Tang-Seng said, "Do not hurt it. We are going to India to fetch the Buddhist Scripture. We need to hurry along and get to the manor tonight." Upon hearing this, the white dragon said, "Master, I want to accompany you!"

7. Just then, Guan-Yin Buddha showed up and blew a breath at the white dragon. The white dragon turned into a fast white horse (for Tang-Seng to ride on). So they got to the manor even before dark.

8. The manor owner said, "Master, my son-in-law turns into a monster as soon as it's night. I don't dare to let you stay here."   Sun Wu-Kong said," Fear not!   I, the powerful Sun, can handle it."

9. With a shake, Sun Wu-Kong transformed into the owner's daughter. By night, just as expected a monster entered. No sooner than he got near the bed, Sun Wu-Kong changed back to his original appearance.

10. Sun Wu-Kong grabbed hold of it. The monster said, "Ai! Aren't you the 'Greatest Sage'? I was a great admiral in heaven! Because I made a mistake, I turned into this appearance! …

11. I am willing to reform myself. Please help me! Let Master take me in, and bring me with you!" After Tang-Seng learned this, he agreed and named him "Ba-Jie" (Eight Disciplines).

12. One day they came upon the River of Quicksand. Sun Wu-Kong said, "The river water is flowing rapidly here. Unless we fly over, there is no other way." Suddenly, …

13. A monster emerged from the river. Pig Ba-Jie and Sun Wu-Kong took turns and they fought the monster for two days and two nights. Afterwards Guan-Yin Buddha came and said, "Stop fighting!

14. His name is he-Shang Sha. Actually he also wants to go to India to fetch the Sutra." Tang-Seng thus took him in. Tang-Seng was very pleased because the three disciples all had capable skills.

15. They took off from the Silk Road. Although they would encounter many dangers, the three disciples put forth their best efforts to protect the Master, and all were safe in the end.

Classroom Discussion

1. Tang-Seng went to India to get the Buddhist Scripture by silk road. Do you know why this road was called "silk road"?

2. How did Sun Wu-Kong get out of the cave?

3. What turned into the second white horse that Tang-Seng rode on?

4. Who besides Sun Wu-Kong accompanied Tang-Seng to India to get the Buddhist Scripture?

5. Do you still remember the stories of 花果山 (Mountain of Flower and Fruit, Book 2), 金箍棒 (The Golden Rod, Book 3), and 大鬧天宮 (Big Disturbance in the Heavenly Palace, Book 4) that you read before? Please describe them.

美洲華語課本第五冊生字、生詞中英譯對照表

課數	生字	詞語	英譯
第一課	fù 父	fù qīn 父親	father
		fù mǔ 父母	parents
	mǔ 母	mǔ qīn 母親	mother
		mǔ ài 母愛	maternal love
	qīn 親/亲	qīn ài de 親愛的	dear; beloved
	bān 班	xī bān yá 西班牙	spain
		shàng bān 上班	to go to office
	gòu 夠/够	gòu le 夠了	sufficient
		zú gòu 足夠	enough
	yǔ 語/语	yǔ wén 語文	language
		chéng yǔ 成語	idiom (a saying often made up of 4 characters)
	lùn 論/论	bú lùn 不論	regardless of; no matter what
	jiāng 將/将	jiāng lái 將來	future
		jiāng jūn 將軍	general or admiral
	zhǎn 展	fā zhǎn 發展	to develop; to expand
	róng 容	róng xǔ 容許	to tolerate; to permit; to allow
		xiào róng 笑容	smile
	yì 易	róng yì 容易	easy; simple
	xī 惜	zhēn xī 珍惜	to treasure; to cherish
		kě xī 可惜	regrettable; pity
	bìng 並/并	bìng qiě 並且	and; also; besides; furthermore
	yǐng 影	diàn yǐng 電影	movie
		yǐng zi 影子	shadow
	tóng 童	ér tóng 兒童	children
	zhù 注	zhù yì 注意	to pay attention; to watch out for
		zhù yīn 注音	phonetics (using symbols for sound)
第二課	tán 談/谈	tán tiān 談天	to chat; a chat
		tán huà 談話	to converse; a conversation

課數	生字	詞語	英譯
第二課	zhěng 整	zhěng tiān 整天	all day long
		zhěng lǐ 整理	to arrange
	bào 報/报	bào zhǐ 報紙	newspaper
		bào gào 報告	report
	zhǐ 紙/纸	bái zhǐ 白紙	white paper
	shì 視/视	diàn shì 電視	television
		jìn shì yǎn 近視眼	nearsightedness
	dǐ 底	jǐng dǐ 井底	well bottom
		dǐ xià 底下	under; below
	zhī 之	jǐng dǐ zhī wā 井底之蛙	frog at the bottom of a well
	gù 故	gù shi 故事	story
		gù yì 故意	on purpose
	cǐ 此	yīn cǐ 因此	consequently; therefore
	yé 爺/爷	yé ye 爺爺	grandfather
	shí 實/实	qí shí 其實	in fact; actually
	rèn 任	rèn hé 任何	any; all
	hé 何	rú hé 如何	how; (no matter) what
	kěn 肯	bù kěn 不肯	to refuse
		kěn dìng 肯定	undoubtedly
	gōng 功	yòng gōng 用功	to study hard
		gōng kè 功課	homework
	xí 習/习	xué xí 學習	to learn; to study; learning
第三課	wàn 萬/万	wàn shèng jié 萬聖節	Halloween
		wàn yī 萬一	if by any chance; something not anticipated or happening accidentally
	shèng 聖	shèng rén 聖人	saint; sage
		shèng dàn jié 聖誕節	Christmas
	yuán 園	xiào yuán 校園	schoolyard
		dòng wù yuán 動物園	zoo

美洲華語課本第五冊生字、生詞中英譯對照表

課數	生字	詞語	英譯
第三課	nèi 內	xiào yuán nèi 校園內	inside the schoolyard (or school)
		nèi róng 內容	contents
	fú 服	yī fu 衣服	clothes
		fú zhuāng 服裝	clothing; costume
	zhuāng 裝	zhuāng shàng 裝上	put on
		jiǎ zhuāng 假裝	to pretend; to disguise
	kè 課/课	shàng kè 上課	to give or attend class
		kè běn 課本	textbook
	bàn 扮	bàn chéng 扮成	to masquerade (as)
		dǎ ban 打扮	to dress up as
	xià 嚇/吓	xià yí tiào 嚇一跳	to have a good fright
	bèi 被	bèi xià dào 被嚇到	to be frightened
	jì 紀/纪	jì niàn 紀念	to commemorate
		nián jì 年紀	age
	yīng 應/应	yīng dāng 應當	should; ought to
		dā yìng 答應	to promise; to agree; to consent
	gāi 該/该	yīng gāi 應該	should; ought to; must
	bù 布	bái bù 白布	white cloth
		bù xié 布鞋	sneakers
	dān 單/单	chuáng dān 床單	bed sheet
		dān shù 單數	odd; single
	zhǔ 主	zhǔ yì 主意	idea; notion; plan
		zhǔ yào 主要	main; major
第四課	shì 室	jiào shì 教室	classroom
		xiào zhǎng shì 校長室	principal's office
	shī 詩/诗	gǔ shī 古詩	ancient poetry
		shī rén 詩人	poet

課數	生字	詞語	英譯
第四課	shuāng 霜	jié shuāng le 結霜了	it has frosted
		miàn shuāng 面霜	facial cream
	bèi 背	bèi shū 背書	to recite
		bèi hòu 背後	at the back; behind someone's back
	wàng 望/望	wàng jiàn 望見	to see (something far away)
		xī wang 希望	to hope; a hope
	dī 低	dī tóu 低頭	to lower one's head
		hěn dī 很低	very low
	xiāng 鄉/乡	gù xiāng 故鄉	homeland; home village
		xiāng xia 鄉下	rural area; countryside
	jiǎng 獎/奖	jiǎng pǐn 獎品	prize; award, trophy
		guò jiǎng le 過獎了	to over praise; to flatter; a polite expression
	tú 圖/图	tú huà 圖畫	picture; paining
		dì tú 地圖	map
	sōng 松	sōng shù 松樹	pine tree
	cǎi 採/采	cǎi yào 採藥	to pick herbs
		cǎi cǎo méi 採草莓	to pick strawberries
	shēn 深	hěn shēn 很深	very deep
		shēn shēn de 深深地	deeply
	nán 難/难	hěn nán 很難	very difficult
		nán guò 難過	sad
	shí 識/识	rèn shí 認識	to know (a person)
		jiàn shí 見識	knowledge and experience
	tí 題/题	wèn tí 問題	question; problem; issue
		tí mù 題目	title; subject; heading; problems on an exam
第五課	lǐ 禮/礼	lǐ wù 禮物	gift
		lǐ pǐn diàn 禮品店	gift shop
	zhǔn 準/准	zhǔn shí 準時	punctual; on time
	bèi 備/备	zhǔn bèi 準備	to prepare; to arrange; to get ready

美洲華語課本第五冊生字、生詞中英譯對照表

課數	生字	詞語	英譯
第五課	cè 冊	dì yī cè 第一冊	the first volume
		shǒu cè 手冊	manual; handbook
	quàn 券	lǐ quàn 禮券	gift certificate
		jiǎng quàn 獎券	raffle
	chāo 超	chāo jí 超級	super
		chāo rén 超過	be exceed; to be more than
	jí 級/级	nián jí 年級	grade (class)
		gāo jí 高級	high-class
	zào 造	zào zhǐ 造紙	making paper
		zào jù 造句	to make a sentence
	bāng 幫/帮	bāng máng 幫忙	to help; to assist
		bāng zhù 幫助	to help; to assist
	tòng 痛	bèi tòng 背痛	back ache
		hěn tòng 很痛	very painful
	shùn 順/顺	xiào shùn 孝順	to fulfill the duty to a parent (filial duty)
		shùn biàn 順便	conveniently; in passing
	zuò 作	láo zuò 勞作	craftwork
		gōng zuò 工作	work; job
	pò 破	pò bù 破布	rag torn
		pò le 破了	torn
	fèi 廢/废	fèi zhǐ 廢紙	waste paper
		fèi wù 廢物	trash
	xiào 效	yǒu xiào qī xiàn 有效期限	valid period
		xiào guǒ 效果	effect
	sī 司	gōng sī 公司	company
		sī jī 司機	chauffer
第六課	bù 部	xiǎo chī bù 小吃部	Snack bar
		bù fèn 部分	part; section
第六課	péi 陪	péi zhe 陪著	to accompany; to go with
	tǐ 體/体	shēn tǐ 身體	body
		tǐ yù kè 體育課	gym class
	gāng 剛/刚	gāng shàng shì 剛上市	just came on the market
		gāng cái 剛才	just now
	lèi 類/类	shuǐ guǒ lèi 水果類	fruit category
		rén lèi 人類	mankind
	shāo 燒/烧	hóng shāo dòu fǔ 紅燒豆腐	bean curd in red sauce
		fā shāo 發燒	to have a fever
	chǎo 炒	chǎo fàn 炒飯	fried rice
		chǎo miàn 炒麵	fried noodles
	gǔ 骨	pái gǔ tāng 排骨湯	spare rib soup
		gǔ tou 骨頭	bone
	líng 零	líng shí 零食	snacks
		líng fēn 零分	zero point (on a test)
	gān 乾/干	pú táo gān 葡萄乾	raisin
		hěn gān 很乾	very dry
	miàn 麵/面	miàn bāo 麵包	bread
		niú ròu miàn 牛肉麵	beef noodle
	fù 付	fù qián 付錢	to pay (with money)
	tuī 推	shǒu tuī chē 手推車	cart
		xiàng wài tuī 向外推	to push out
	jiàn 健	jiàn shēn fáng 健身房	gym
	kāng 康	jiàn kāng 健康	health
		kāng fù 康復	recover
	guǎn 管	guǎn lǐ 管理	to manage; to administer; to direct
		xī guǎn 吸管	straw

美洲華語課本第五冊生字、生詞中英譯對照表

課數	生字	詞語	英譯
第七課	bàn 辦/办	jǔ bàn 舉辦	to hold (an event)
		bàn fǎ 辦法	method
	duǎn 短	duǎn qī 短期	short term
		hěn duǎn 很短	very short
	yíng 營/营	yùn dòng yíng 運動營	sports camp
		lù yíng 露營	to camp
	yíng 迎	huān yíng 歡迎	to welcome
		yíng xīn huì 迎新會	welcome party
	cān 參/参	cān jiā 參加	to participate; to take part in
	zhèng 政	zhèng zhì 政治	politics
	fǔ 府	zhèng fǔ 政府	government
		shì zhèng fǔ 市政府	city government
	liàn 練/练	jiào liàn 教練	coach
		liàn xí 練習	practice; drill
	tóu 投	tóu qiú 投球	to throw a ball
		tóu shǒu 投手	pitcher
	chuán 傳/传	chuán qiú 傳球	to pass a ball
		chuán shuō 傳說	legend
	jiē 接	jiē qiú 接球	to catch a ball
		jiē jiàn 接見	to receive (a lower rank person); to grant an interview
	duì 隊/队	qiú duì 球隊	a ball team
		pái duì 排隊	to wait in line
	wǎng 網/网	wǎng qiú 網球	tennis
		shàng wǎng 上網	to go on the internet
	bàng 棒	bàng qiú 棒球	baseball
		hěn bàng 很棒	wonderful
	jué 決	jué dìng 決定	to decide; a decision
		jué xīn 決心	determination
第七課	zhuān 專/专	zhuān xīn 專心	to pay close attention; to focus
		zhuān yòng 專用	for the specific use of (or by)
第八課	yǒng 勇	yǒng qì 勇氣	courage
	gǎn 敢	yǒng gǎn 勇敢	brave
		bù gǎn 不敢	not dare to
	zhàng 仗	dǎ zhàng 打仗	to fight a war or battle
	tuì 退	tuì wǔ jūn rén 退伍軍人	veterans
		tuì xiū 退休	to retire
	bīng 兵	dāng bīng 當兵	to soldier; to join the army
	shòu 受	rěn shòu 忍受	to bear; to endure; to tolerate
		jiē shòu 接受	to accept
	shāng 傷/伤	shòu shāng 受傷	to get hurt; injured
		shāng xīn 傷心	heartbroken; sorrowful; grieved
	xìng 性	nǚ xìng 女性	female gender; feminine
		gè xìng 個性	personality; individual characteristics
	guān 官	zhǎng guān 長官	a commanding officer; a senior official, a superior
		guān yuán 官員	a civil official
	huá 華/华	huá shèng dùn 華盛頓	Washington
		huá rén 華人	Chinese
	ràng 讓/让	ràng gěi 讓給	to concede; to let someone; to make way;
		ràng kāi 讓開	to move
	jiàn 件	yí jiàn 一件	one piece of (clothing or matter)
	zǒng 總/总	zǒng gòng 總共	altogether; total
		zǒng shì 總是	always
	tǒng 統/统	zǒng tǒng 總統	president (of a country)
	fú 福	xìng fú 幸福	well-being; blissfulness; happiness
	suī 雖/虽	suī rán 雖然	although; even if; in spite of
第九課	guān 觀/观	cān guān 參觀	to visit (a place); to tour
		guān zhòng 觀眾	audience

課數	生字	詞語	英譯
第九課	lì 歷/历	lì shǐ 歷史	history
		měi guó lì shǐ 美國歷史	American history
	bó 博	bó wù guǎn 博物館	museum
		bó shì 博士	Ph.D.
	guǎn 館/馆	fàn guǎn 飯館	restaurant
		tú shū guǎn 圖書館	library
	kē 科	kē xué 科學	science
		xué kē 學科	a subject; a course
	jiàn 建	xīn jiàn de 新建的	newly-built
		jiàn chéng 建成	built; established
	yìn 印	yìn dì ān rén 印地安人	American Indians
		yìn shuā 印刷	to print; printing
	yuè 越	yuè lái yuè hǎo 越來越好	getting better all the time
	shǐ 史	gǔ dài shǐ 古代史	ancient history
		jìn dài shǐ 近代史	modern history
	bǎo 保	bǎo yǒu 保有	to keep
		bǎo hù 保護	to protect
	zǔ 祖	zǔ xiān 祖先	ancestor; ancestry; grand parents
		zǔ fù 祖父	grandfather
	liú 留	liú xià lái 留下來	to stay
		liú xué shēng 留學生	student who study overseas
	yí 移	yí mín 移民	to emigrate; immigrant
		yí dòng 移動	to move (a thing); to shift (oneself)
	xuǎn 選/选	xuǎn jǔ 選舉	election
		xuǎn zé 選擇	choice; selection
	piào 票	xuǎn piào 選票	ballot
		chē piào 車票	(bus or train) ticket
	liàng 量	lì liàng 力量	strength; force
		liàng cí 量詞	measure word; quantifier

課數	生字	詞語	英譯
第十課	yǎn 演	biǎo yǎn 表演	to act; to perform
		yǎn zòu huì 演奏會	a concert; a recital
	gǎn 趕/赶	gǎn kuài 趕快	to hurry; to hasten; at once
		gǎn shàng 趕上	to catch up with
	yóu 由	lǐ yóu 理由	reason
		zì yóu 自由	freedom
	lún 輪/轮	lún liú 輪流	to take turns
		lún zi 輪子	wheel
	qí 騎/骑	qí mǎ 騎馬	to ride a horse
	màn 慢	hěn màn 很慢	very slow
		màn pǎo 慢跑	to jog
	yāo 妖	yāo guài 妖怪	monster; goblin; demon
	guǐ 鬼	guǐ guài 鬼怪	ghosts and monsters; evil spirits; a goblin
	xiāo 消	xiāo miè 消滅	to obliterate
		xiāo xi 消息	the news
	tí 提	tí yì jiàn 提意見	to give an opinion
		tí xǐng 提醒	speaking of which; to raise something by hand
	bù 步	jìn bù 進步	to progress
		tuì bù 退步	to regress
	jìn 盡	jìn liàng 盡量	to the extent possible
		jìn lì 盡力	to do all one can; to try one's best
	chú 除	chú le 除了	except for; besides; other than
		chú fǎ 除法	division
	xū 需	xū yào 需要	to need; demand; a need or demand
	qíng 情	biǎo qíng 表情	facial expression
		yǒu qíng 友情	friendship
	gǎi 改	gǎi jìn 改進	to change
		gǎi cuò 改錯	to correct